KB098367

나는 공립학교 행정실장입니다

나는 공립학교 행정실장입니다

지은이 정필재(행복만땅)

발 행 2023년 12월 22일
펴낸이 한건희
펴낸곳 주식회사 부크크
출판사등록 2014.07.15.(제2014-16호)
주 소 서울특별시 금천구 가산디지털1로 119 SK트윈타워 A동 305호
전 화 1670-8316
이메일 info@bookk.co.kr

ISBN 979-11-410-6150-0

www.bookk.co.kr

*글 속에 성명, 학교명, 지역청 명은 가명으로 설정했음을 참고하시기 바랍니다.

나는 공립학교 행정실장입니다
정필재(행복만땅)

차례

BOOKK

제2부 학교 속 사람들

제3부 학교, 애증의 언어

작가의 말

나와 함께한 34년 학교, 그 속에서 경험했던 많은 일들은 내 삶의 한 부분이 되었고 그것은 내 인생이 되었다.
<나는 공립학교 행정실장입니다>가 탄생하기까지는 참 오랜 시간이 걸렸다. 학생 시절부터 글쓰기를 좋아했고 성인이 되면서 글을 조금 멀리했다가 2005년도 말부터 조금씩 책 읽기를 시작했다. 지금까지 18년 동안 700권 정도의 책을 읽었다. 많이 읽은 편에 속하진 못한다. 내 주변에 있는 분은 현재까지 2,300권 정도 읽었다 하니 그에 비하면 난 정말 '새 발의 피'다.
더군다나 김병완 작가의 '48분 기적의 독서법'에서 주장한 3년에 1,000권은 읽어야 한다니 그에 비할 바가 아니다.
그런데도 내가 학교 관련 책을 쓰기로 결심한 것은 학교를 통해 공직 생활을 처음 시작했고, 교육청 근무 기간 1년 6개월을 제외하면 거의 일선 학교에서 대부분의 공직 생활을 했기 때문이다. 더군다나 학교에서 있었던 다양한 경험을 통해 나와 같은 처지에 있는 사람들, 교행인들, 일반 직장인들에게 구체적 예시를 통해 공감과 위로를 주고 싶었기 때문이다.

2005년도부터 학교에서 일어나는 일상들을 시간날때마다 수필처럼 작성했다. 그것은 누가 시켜서 한 일도 아니고 나중에 그걸 묶어 책을 내겠다는 생각은 더군다나 없었다. 단순히 글을 쓰는 일이 재미있어서 일상의 서사처럼 글을 써왔다. 막상 쓰고 보니 그것이 살아가는 사람들의 모습, 직장인의 모습, 오늘의 이웃의 모습임을 알게 되었다. 이 책은 총 53가지의 일상글을 모았다. 학교 생활 중에 일어났던 일들을 서사처럼 엮었다. 우리 아이들이 어렸을 때의 나의 학교 기록부터 성인이 되기까지, 공무원 새내기부터 정년 임박한 최근의 기록까지 망라되었다.
학교생활을 통해 울분하고, 고민하고, 즐거워하고 행복해했다.
내 공직을 거의 바친 학교라는 울타리는 그대로 나의 인생이 되었다. 이제 학교의 일상들을 정리한 글을 펴내게 됨에 가슴 뛰을 멈출 수 없다. 그것은 내 오랫동안의 꿈이 실현되는 일이기 때문이다. 시간 순서 없이 다양한 기록으로 엮었다. 행정실장의 눈으로 학생과 교직원 학부모를 관찰했다. 가능하면 객관적 기록에 충실하려 노력했다. 당시의 상황을 가능하면 있는 그대로 서술하는데 주안점을 두었다. 당시의 내 생각이 나중에 시간이 흘러서는 바뀌기도 했다는 점은 참고해 주면 좋겠다.

이 글을 통해 공직에 있는 동료들, 교행인들, 학교 관계자들, 학부모들, 더 나아가 일반 직장인이 학교 문화를 이해하고 학교 현장을 제대로 바라볼 수 있기를 소망한다.
"학교도 역시 사람이 사는 곳이구나!"
"학교 속에 인생의 희로애락이 있구나!"라고 감동해 주시면 더 바랄 것이 없다. 이 글은 2023. 6월 발간된 전자책 <파란만장 정 실장의 학교다녀왔습니다!!>를 보완했다. 이전의 전자책은 긍정적인 시선만 담아 발행해 명색이 파란만장!! 이 들어가 있지 않아 김치에 고춧가루를 넣지 않은 듯 맥이 빠지는 느낌이 있었다. 이번 책은 학교생활의 달고 맵고 쓰고 신 맛을 다 담으려 노력했다. 이 책을 쓰는 와중에 경남 교행직의 소식이 들린다. 작년 방화셔터가 내려와 초등학생이 피해를 보았는데 소방 안전 관리자인 여자 행정실장에게 1,000만 원의 벌금형이 대법원에서 확정되었단다. 소방 관련 수당을 한 푼도 받지 않는 권위는 없고 책임만 강제하는 잘못된 법 제도는 개정되어 마땅하다. 모든 제도에는 책임이 있으면 권한도 있는 비례의 원칙이 적용되어야 한다고 생각한다. 나는 이 직을 내년 6월이면 떠나지만, 아직도 학교 행정실은 춥다. 교육이 누가 누구를 위해 존재하는 곳이 아닌 '각자가 자신의 책임 있는 역할을 성실히 수행하는' 멋진 학교 현장이 되기를 소망해 본다. 보다 대승적으로 더불어 함께 살아가는 교육 공동체가 되었으면 하는 바람이다. 그래야 학생들이 행복한 학교를 이룰 수 있지 않겠는가.

이제 크리스마스의 소박한 함박눈이 내리는 계절이다. 한 해를 마무리하고 새해를 맞는 길목에 독자들의 가슴 따스한 오늘을 응원한다.

2023. 12. 22.

정필재(필명:행복만땅)

제1부 삶이란 일상의 집합

인생살이의 쓴맛

10월 24일은 사무관 예정자들이 시험을 보는 날이다.
낮에 시험장에 들렀다가 저녁에 중학교 행정실장 협의회서 주최하는 회식에 참석기로 하였다.
교육청에 들렀다가 약속 장소에 도착해보니 20여 명의 사람이 자리를 잡고 앉아 있었다.
"오늘 참석 예정자가 몇 명이에요?"
"한 30명 정도 될 겁니다."
내 물음에 중학교 행정실장 협의회 총무인 신 실장이 대답하였다.
"고등학교에서도 올 거예요. 김 과장도 온다고 했어요."
"아, 그래요?"
지금은 일선 학교로 갔지만 김 과장하고는 교육청에서 같이 근무했고 나랑은 성격상 맞지 않는 부분이 있었다. 강자에겐 약하고 약자에는 한없이 강하게 굴어 같이 자리하고픈 생각이 없었다.
더군다나 교육청에서 일선 학교 감사 때에 개인감정으로 나에게 '경고'를 쳤기에 그에 대한 반감은 더 컸다.
"난 봐서 일찍 가야겠네요? "
옆에 앉은 경리계장에게 말을 걸었다.
그와는 한 3년째 모임이 있는 터라 나의 말이 무엇을 뜻하는지를 그는 아는 터였다.
"뭘 그러세요, 그냥 계세요."
삼겹살이 노랗게 익어가며 술잔이 오가는 사이 예의 그 김 사무관이 술잔을 돌리기 시작했다.
"내 자리에 오기 전에 그냥 집에 갈까?"

"아냐, 뭐 하러 약하게 그래 참자."
나 혼자만의 대화가 이어졌다.
곧 내 차례가 되어 자리에 일어섰다.
"요즘 어떻게 지내?"
"그냥 지냅니다."
"그래."
그러고는 술 한 잔을 주고는 바로 다른 사람에게 갔다.

1차를 마치고 2차로 노래방에 갔는데 한참 취했다.
화장실을 다녀오다가 김 과장을 만났는데 복도에서 그는 다짜고짜 막말을 퍼붓는다.
"요즘 너 내 욕하고 다닌다며?"
괜한 트집이다.
"아닌데요, 욕하고 다니지 않아요."
"안 한다고?"
내 뺨을 두 대를 친다. 그냥 예고 없이 들어오는 탓에 그냥 맞았다.
"아닙니다. 그리고 말이 나온 김에 물어볼게요?"
"뭔데?"
"왜 절 경고를 친 겁니까?"
"경고 맞을 만하니깐 친 거지."
"제가 경위서 내고 사유까지 설명했는데도 경고를 칩니까? 1년 동안 모신 분이 감사원에서 잡아도 빼줘야 할 분이 오히려 감사계 직원들은 주의 처분하자는데 안 된다고 경고를 쳐요?"
"이 자식이."
그러면서 한 대 더 친다.
"왜 쳐요? 내가 친구요? 자식이요?"
"이게, 어디서?"

"왜 제가 못 할 말 했어요?"
교육청 들어오기 전 일선 학교에서 근무 당시 받은 감사에 김 과장은 당시 관리과장으로 감사권자 위치에 있었고, 교장이 마음대로 계약한 건을 가지고 나는 경고 주고 퇴임한 교장은 주의 처분을 한 것이다.
밖이 소란스러워지자 몇 사람이 달려와 나와 김 과장을 말린다.
"놔요."
"정 실장 참아."
"날 치잖아요."
"그래도 참아."
"못 참아요."
"그냥 참아."
"싫어요."
난 김 과장의 뒤를 따라 노래방에 들어갔다.
"왜 치는 거야? 깡패야?"
소리를 냅다 질렀다.
"이게 그래도? "
둘이 붙을 뻔 하자 주위 사람들이 떼어놓기 바빴다.
나는 다른 사람들에 끌려 화장실로 나갔고 뒤이어 박 사무관이 들어왔다.
"김 과장이 사과한다니까 가자!"
"네. 갑시다."
박 사무관과는 관계가 좋았고 늘 내 행보에 관심이 많고 날 잘 이해해줬다. 그를 따라 바로 옆 건물의 노래방으로 들어갔다.
방은 비어 있었고 김 과장만 중앙에 앉아 있었다.
내가 들어가자마자 그는 재떨이를 내게로 던졌다.
"어서 대들어?"
소리를 버럭 지른다.

“뭐야? 사과한다더니? 왜 치는 거야?”
나도 소리를 크게 질렀다.
나는 씩씩거리며 달려들었고 박 사무관이 나를 말리면서 밖으로 나오게 되었다. 속이 상해 견딜 수 없었다.
“내가 아들이야, 친구야, 어서 사람을 쳐?”
“참을 수 없어 죽여버릴 거야.”
나도 들으라는 듯 있는 힘껏 소리를 버럭 질렀다. 주위의 사람들이 날 안정시키려 애썼다.
“정 실장 그냥 오늘 들어가? 내일 얘기하고.”
“싫어요. 오늘 끝장을 볼래요.”
“아냐 오늘은 그냥 들어가.”라고 말하면서 몇 사람이 나를 밖으로 밀었고 난 밖에 밀려나 우두커니 앉아 있는데 마음속으로 올라오는 분을 참을 수가 없었다.

“실장님 교육청에서 실무 수습 직원 한 명만 받아 달라는데요?”

“네네. 그리한다고 전해줘요, 제가 교장 선생님과 의논해 볼게요.”

바로 교장실에 들어가서 사안을 말씀드렸다.

“학교에 다른 직원들이 자꾸 들어오는 건 바람직하지 않아요, 그만큼 신경을 더 써야 하니깐요.”

“물론 그렇긴 해요, 그래도 그들에게도 현장을 경험할 기회를 주는 것도 필요해 보여서요, 제가 더 신경을 쓰고 지도할게요.”

“실장님이 그리 말씀하시니 그러면 신청하도록 해요.”

“알겠습니다.”

사무실에 돌아와서 과장에게 지시했다.

“과장님 바로 신청서 제출해요.”

“네. 알겠습니다.”

“그러면 실장님, 저희는 남자를 받는 게 좋겠어요.”

옆에 있던 계장이 한 수 거들었다.

“아. 좋죠. 우리 직원들이 다 여자분들이니 남자가 와도 좋을듯해요”

"기왕이면 20대가 오면 더 좋을 것 같아요."

"좋네요. 우리 직원들이 30대 40대 50대 두루 있으니 20대 와도 제격인데요."

우리 구성원들을 생각하니 그것도 생활에 활력이 있을 것 같았다.

며칠 뒤 실무 수습 직원이 인사차 들렀다. 첫인상이 모범생처럼 깔끔하고 단정했다. 행정실에서 차 한 잔 마시면서 이야기해 보니 제법 생각했던 대로 반듯한 청년이다. 교장 선생님과 인사 후 "11월 7일부터 나오겠노라." 하고는 되돌아갔다. 실무 수습이란 공무원 시험을 치르고 발령하기 전에 현장 적응을 위한 과정으로 2달 정도 진행되는 것으로 일반 회사로 비교하면 인턴과 비슷한 제도다. 이번 수습 과정은 11.1일부터 12월 31일까지였다. 11월 1부터 4일까지는 재택 연수가 있어 11월 7일부터 학교 근무였다.

"잘 들어가고 11월 7일에 봐요."

"네."

11월 7일 되어 사무실에 들어가니 수습 직원은 벌써 출근해 있었다. 인천 송도에서부터 오는 거라 거리가 제법 있다고 했다.

사무실에 임시로 자리를 마련해주고 노트북을 지급해 주었다.

우리 학교로 배치하기 전 과장에게 실무 수습 계획을 내부 결재받고는 그 일정대로 지도해 주기를 부탁하였다.

그는 노트를 들고는 배워야 할 부분들을 빠짐없이 항목별로 배워 나갔다. 틈만 나면 우리 직원들은 그를 부르기 일쑤다.
"현 주무관님, 잠깐 이리 와 주세요."
영역별로 업무를 가르치기 바빴다. 그는 불편해하는 기색 없이 한달음에 달려가서는 일을 배웠다.
문서접수, 여러 가지 증명 등 민원 발급, 기안문 작성, 결재, 공람처리, 보고문 처리, 물품 등재, 정수 물품관리, 불용품 처리, 관리전환, 재산관리, 시설물 개방 관련, 물품 증감 및 현재액 계산, 세입세출외현금, 학교발전기금, 개인정보, 행정정보공개, 세입 징수 보고, 봉급작업, 호봉 재획정. 기여금 소급, 합산, 교원 공제회 업무, 휴, 복직, 학교운영위원회, 전자계약, 계약 관련 업무, 시설물 정기 보고, 대외비, 원인행위, 지출, 추가경정예산, 분임경리관 등 그 외 알 수 없는 생소하고 낯선 용어들을 배워야만 했다.
처음 업무를 하는 사람들에게 어렵기 이를 데 없는 일들이다. 그런데 이 친구 노트를 들고 받아 적는 그것뿐 아니라 실제 실습도 하고, 품의나 지출뿐 아니라 보고문서도 제법 잘 처리해 나간다.
"역시 90년생들은 확실히 달라."
"그러게요. 참 열심히 하고 정확히 하려고 해요."
내 말에 며칠 지켜보던 송 주무관이 말했다.
송 주무관은 사람을 보는 눈이 제법 정확하다. 한눈에 그가 일을 잘하지 못할지를 단박에 알아차린다.
실무 수습 직원은 올해 32살인데 사회 경험이 많아서 그런지 모든 일에 적극적이고 능동적이다.

기본베이스가 우울하지 않고 시켜서 하지 않으며 찾아서 일하려 한다. 혹 간식이 오더라도 가만히 앉아 얻어먹지 않고 먹기 전 포크를 챙겨오거나 다 먹은 후 정리 정돈을 같이한다. 요즘 보기 드문 청년이다.
수능으로 바쁜 하루 전인 11월 16일에도
"실장님 잠깐 나가서 김 주무관님 좀 도와드리고 오겠습니다."
"어떤 걸 도우려고요?"
"주차 안내 좀 같이해 주겠습니다."
고마웠다. 시켜서 하는 일도 아니고 본인 스스로 마음에서 우러나 하는 일이니 말이다. 수능 끝나고 첫눈이 소복이 내리던 날 아침에도 벌써 현 주무관은 출근해 있었다. 나는 차를 마시려고 커피포트에 물을 올려놓고는
"현 주무관도 마시고 싶은 차가 있으면 끓여서 먹어요"
"네."
이내 커피를 타려고 하는데
"정문으로 가서 염화칼슘을 좀 뿌리고 오겠습니다. 아까 오면서 보니 시설 주무관님 혼자서 염화칼슘을 뿌리고 계셔서요, 제가 좀 도와주고 오겠습니다."
"그리해요."
"어떻게 이토록 열심히 일하지 이제 며칠 됐다고?"

혼자 생각해봐도 신통하고 대단하다.
"공무원 시험 때문에 노량진에서 얼마나 공부했어요?"
"네. 1년은 학원 다니고 1년은 인터넷으로 공부했습니다."
"아 그랬군요?"
순간 공무원 시험에 합격하려면 최소 2년간 노량진 컵밥을 먹어야 한다는 말을 듣긴 했다.
참 열심히 공부했다는 생각이 들었다.
공무원 시험 전 대학을 졸업하고는 취업이 잘 안되어 음식점 카페 등에서 일을 한 모양이다.
"그래서 그리 반듯한가!"
"종교가 뭔데요?"
"기독교인이긴 해도 교회는 나가지 않고 유튜브로 강의 듣고 예배는 드려요."
"네."
새로운 MZ 세대만의 종교관인가 생각하기도 했다.
종교적 영향 때문인지 담배는 물론 술도 조금만 한단다.
'아. 종교와 생활을 일치시키려 많이도 노력하는구나'란 생각이 들었다.
내가 책을 읽고 평상시 글을 쓰는 것을 알고는
"저도 원래 꿈이 소설가였어요."
"아 정말요?"
"지금도 꿈은 버리지 않았어요."
"그래요, 잘해 보아요."

“네.”
나는 틈이 날 때마다 그의 동선을 체크하고 그가 여기서 배워야 할 그것들에 대하여 일러두었다.
무엇보다 능력이 있는 사람이 되기를 바랐다.
능력은 그냥 얻어지지 않고 최대한 배움도 노력해야 얻어질 수 있음을 상기시키곤 했다.
더불어 아직 결혼도 하지 않았고 집도 없는 그에게 당부했다.
“현 주무관님, 공직에 왔다고 다 끝났다고 생각하면 안 돼요, 이제 이 일은 나의 생업이고 생활의 방편이 될 거예요. 이 일을 하면서 또 내가 더 잘할 수 있는 일, 경제적 부에 관한 생각도 같이하면 좋을 것 같아요.”
“제가 내일 점심을 사고 싶은데 괜찮을까요?”
11월 첫 봉급을 타고 재량휴업일이 있는 하루 점심을 사겠다 한다.
“안 돼요. 현 주무관은 아직 그 레벨이 안 돼요. 허허.”

그 마음만도 얼마나 고마운지 ‘참 될성부른 나무’다.
시간이 지날수록 그의 일에 대한 숙련도는 늘어만 갔다.
결재도 곧잘 올리고 필요한 물품도 잘 건의한다. 결재 올리면 어쩌다 물어본다.
“지금 올린 결재의 수의계약 범위가 어떻게 돼요?”
“물품은 조달 품목의 경우 1,000만 원일 때 물품 선정위원회 거쳐 선정하고요, 시설 계약의 경우는 2,000만 원 이상의 경우

G2B 등 전자 시스템에 입찰 공고합니다."
"아. 맞아요. 잘했어요. "
옆에 있던 송 주무관이 "실장님이 알고도 물어보는 거지요, 테스트하려고 맞죠?"
하며 나를 쳐다본다.
"맞아요." 하고 나는 후후 웃었다.
시간은 유수와 같다더니 벌써 2달이 후딱 지나갔다.
송별회를 하던 날 그는 짧은 소감을 했다.
"네, 처음 왔을 땐 과장님이 무서워 보였는데, 금세 무서운 분이 아니란 걸 알았어요, 호탕하고 정열적으로 일하는 모습을 봤습니다. 행정실 분위기도 좋고 학교의 실질적인 흐름과 업무들을 많은 분들이 잘 가르쳐 줘서 현장에 나가서 큰 도움이 될 것 같아요, 특히나 실장님한테는 인생의 지침, 어떻게 살아야 하는지 많이 배우고 갑니다. 다들 감사합니다. "
"현 주무관님 3.1일 자 발령 나면 꼭 알려줘요, 경조사 있어도 그렇고요. "
"네네."
"그동안 정말 고생 많았어요, 여기서 배운 것들을 학교 일선 현장에 나가더라도 잘 활용해요. 일도 중요하지만 그만치 인간관계도 중요하다는 걸 잊지 말고요." 나는 자식에게 타이르듯 애정을 실어 말했다.
"알겠습니다."
이제 새 출발 하는 현 주무관에게 우리 학교에서 경험한 2달간의 실무 수습 과정이 추후 공직 생활하고 업무를 처리하는 데 실질적인 도움을 받았으면 좋겠다.

그리하여 그가 새로 출발하는 교행인에게 '힘이 되고 다른 직원들에게도 신망받고 일 잘하고 인간성 좋은 사람'으로 우뚝 서기를 기원한다.

내 사랑 탁구

현관의 바람은 시원했다.
9월의 찬란한 햇살 아래 인조 잔디 운동장에는 초록색의 유니폼을 입은 축구부 아이들의 훈련이 한창이었다.
"아이들이 참 열심히 하네요?"
운동장에서 학생들의 운동을 지켜보던 김 선생에게 말을 걸었다.
"그렇죠, 오늘 계발활동 시간이라 운동장이 비니 더 열심히 하죠."
"그렇네요."
"어제 탁구라켓과 공이 새로 들어왔어요."
"아 그래요? 그럼 한번 테스트를 해봐야죠? 수업 없으세요?"
"오늘은 계발활동이라 프리입니다."
"아, 그럼 한게임 합시다."
"네. 가시죠."
나는 지난주부터 시작된 탁구 열기에 흠뻑 빠져들고 있었다.
우연히 학교 순찰 중에 들른 체력단련실에서는 학생자치부의 박 선생과 이 선생이 탁구를 열심히 하고 있었다.
보아하니 보통 실력은 넘었다.
"참 잘하시네요?"
"실장님 탁구 좋아하시면 한게임 치세요." 내가 관심을 보이자 이 선생이 라켓을 건네며 내게 한판 치기를 권했다.
"그럼 한번 해 볼까요."
그렇게 탁구가 처음 시작된 것이다.
재미있는 일이 아닐 수 없다.
3년 전 먼저 있던 중학교에서 시간 날 때마다 탁구 모임을 만들어

1년여 이상 지속해서 운동했던 것이 녹슬지는 않았나 보다.
"복식을 치면 재미있을 텐데요?"
"라켓이 2개 밖에 없어서요."
"아, 그럼 몇 개 더 보충하죠?"
"그럼 좋죠."
"크게 공간 차지 않고 운동하는 데는 탁구만한 운동이 없죠?"
"그럼요."
"그럼 탁구라켓과 공을 더 구매하는 것으로 제가 회의 때 거론해 볼게요."
"네. 실장님."
"어제 돌아보니까, 체력단련실에 탁구대를 설치했더군요."

그다음 날 아침 회의 시간에 나는 말문을 열었다.
"탁구라켓이 없어 운동을 못하는 사람들이 있던데 교직원 복지 차원에서 라켓과 공을 추가 구매해주면 좋을 듯한데요. 교장 선생님의 의견은 어떠세요?"
"아. 좋죠. 그리하세요."
"그렇지만 탁구로 인하여 정규수업 시간에 지장을 초래하면 안 될 거예요."
교감 선생님이 탁구로 인한 피해를 지적해 주셨다.
"제 생각엔 학생 지도에 지장을 초래하지 않는 범위에서 점심시간과 오후 시간을 이용토록 하면 될 듯합니다."
"그리합시다."
이러한 과정을 거쳐서 어제 탁구용품이 추가 구매된 것이다.
김 선생과의 탁구는 몸풀기를 시작하여서 한 시간여 진행됐다.
탁구 실력이 많이 좋아진 것을 몸으로 느꼈다.
"점점 실력이 느시네요, 빠르게 받고 자세도 좋은데요."

"그래요? 아직 멀었어요."
"선생님은 역시 운동하시는 분이라 참 빠르시네요."
"아네요. 실장님이 잘 받아주셔서 그렇죠."
"아닙니다."
"이젠 체력이 달리네요."
한 시간을 치고는 내가 말을 꺼냈다.
벌써 땀이 얼굴을 거쳐 목덜미로 흘러내렸다.
"잘 쳤습니다. 실장님."
"제가 덕분에 잘 쳤죠."
"점심시간마다 한게임씩 합시다."
"네, 선생님."

참으로 감사한 일이 아닐 수 없다.
몸을 풀고 났을 때의 개운함이란 이 운동이 유산소운동이기 때문이리라.
"나중에 체력단련실에 있는 물건을 옮겨서 탁구대를 두 대를 놓을 계획이에요."
"네, 좋죠."
시간을 쪼개서 운동하고 취미를 살리는 일은 참 보람이 아닐 수 없다. 건강도 지키고 직원 간의 인화도 챙기고 일거양득이 아닌가 싶다. 탁구치기는 올 1년 매일 지켜야 할 5가지 실천 목표 중의 하나로 선정했다.
늘 계획된 일에 일조하는 탁구가 난 사랑스럽다.

발령 나서 좋은 일

1.1일 발령으로 인해 바빴다.
전임학교의 송별회, 사무인계인수와 신임 학교의 환영회, 무엇보다 달라진 환경에의 적응이 제일 어려웠다.
전임학교의 경우 후임자가 발령 동기인 용 사무관으로 서기관 승진을 앞두고 있어 승진을 위해 실적 쌓기용 인사란 말이 무성했다. 나로서는 그래도 교육청에서 일했고 성격이 무난하여 내 자리로 오는 그가 더없이 안심되었다. 더군다나 후임 과장의 경우 사무관 실장이 꼭 찍어 데려온다는 말이 사무실에 퍼졌다.
나는 내심 걱정이 아닐 수 없었다. 1년 생활해보니 우리 학교의 어려움은 각자가 서로 열심히 힘 모아 자신의 역할을 하지 않으면 어려움이 발생한다는 데 있다.
더군다나 모두 합심해야 하는데 새로 오는 실장님이 과장님을 데려오고 편애할까 봐 마음이 약한 직원들이 서운해하고 오해하지 않을까 하는 걱정이 먼저 앞섰다.
학교는 겨울방학에 1억 이상짜리 공사만 5개로 공사판이 따로 없는 환경이고 그것을 마무리하지 못하고 발령이 나서 내심 미안하기도 했다. 더 미안했던 것은 4석이나 교육공무직원의 내신을 유예토록 하고 나만 쏙 빠져나온다는 것과 편 주무관의 경우 남편이 관내 발령받아 이번 내신을 냈더니 지역교육청 인사 담당자가 한 곳에 2년 근무의 인사원칙을 지켜야 한다며 발령을 내주지 않았는데, 정작 나는 2년 인사원칙을 무시하고 1년 만에 발령이 나서 직원 보기에도 민망한 구석이 있었다.
이에 따라 도 교육청 홈피에는 이번 인사가 원칙이 없다는 글도 도배되긴 했다. 그렇지만 나는 도에 찾아가지도 전화 한번 하지도 않았다. 성격상 그런 일들이 적성에 맞지 않는다.

그럼에도 불구하고 내가 발령 나서 좋은 것은 집 가까운 곳으로 오게 되어 첫째 피로가 적어 졸림을 방지할 수 있다는 것, 둘째 학교 비상사태 시 처리가 쉬우며, 셋째 가까운 곳으로 와 기름값이 적게 들고 차의 노후화를 방지하며, 마지막으로 집사람 근처 학교로 카풀을 통해 통근에서 오는 피로를 적게 하고 교통비를 아낀다는 점 등 많은 이득이 있었다.
더군다나 학교에 와보니 교장 선생님의 젊잖음과 진실성을 교감 선생님의 따스한 인간미를 엿볼 수 있어 좋았다.
또한 행정실 직원들이 하나같이 본인의 일에 전념하고 각자의 소임을 다하며 더군다나 사회 복무 요원까지 착한 것이다. 또한 시설관리 면에서도 btl 학교로 소장님이 성실하고 일을 가리지 않고 하시는 분으로 웬만한 학교의 시설 주무관보다 낫다는 평이 나를 크게 안심시켰다. 지난 수요일 고등학교 행정실장 환영회에 참석해 보니 28교 중 4개 학교가 참석하지 않았고, 참석한 24개 학교 중 한두 곳만 모르고는 다 아는 얼굴이었다. 너무나 반가웠다.
더군다나 이 사무관의 경우 12~3년 전에 교육청에 한 과에서 함께 근무한 적이 있어 더욱 반가웠다. 옛날로 되돌아간 기분이었다.

관내로 새로 들어온 4명이 화요일에는 지역청을 방문 국장님도 뵙고 각과 과장님과 계원들도 만나 보았는데 참 다들 반가워했다.
4개 학교 중 김 사무관이 간 용연초의 경우 초등 사무관으로는 처음 나가는데 그 교장 선생님의 비민주적 학교 운영에 대한 말과 "어린 나이에 합격하신 것 보니 머리가 참 좋은가 봐요, 저는 머리 좋은 사람 보다 말 잘 듣는 사람이 좋아요."라고 교장 선생님이 말했다는 부분에서는 무엇보다 소중한 것이 인격 존중인데 그런 예의를 무시하는 실례된 발언이 어디 있는지 그 말을 듣는 내가 다 화가 났다.
특수학교 발령받은 배 실장도 어려움을 호소하는데 고양에서도 교육공무직이 많아 힘들었는데 새로 발령받은 특수학교도 교육공무직과 사회복무요원 관리가 쉽지 않을 것 같다는 말과 작년 학생들이 2명이나 사망하여 민원에 시달리고 있다고 하소연하는 것을 보니 이제 막 발령받은 실장의 처지에선 막막할 것 같았다.
지 사무관이 발령받은 학교는 큰 어려움이 없어 보였는데 허리와 등 목이 아파 힘들어하는 것을 보면 난 행복하지 않을 수 없었다.
학교에 돌아오는데 금성고 김 실장이 전화했다.
"그 학교 교장 선생님이 좋다고 소문났어요, 과장도 일 잘하고 실장님이 복 받으신 것 같아요."
빈말이 아닐 것이다.
우리 직종에서 좋은 사람과 나쁜 사람의 평가는 너무 빨리 소문이 나기 때문이다.
지난 월요일에는 교감 선생님이 1960년생이라 나이도 있고 하여 먼저 교무실로 갔다. 교감 선생님은 반가운 내색을 크게 했다.
"제가 먼저 가야 하는데 오셨네요, 교장 선생님이 새로 오신 실장님이 인상이 참 좋다고 하시더니 정말이네요."
"네. 감사합니다. 좋은 만치 잘해야 할 텐데 걱정이 많이 앞서네요."
"아니에요. 잘하실 것 같은데요."
어제는 10년 넘게 모임을 지속하고 있는 부림초 임 실장 전화가 왔다.
"실장님 직원들이 더 좋아할 거예요."
"안산 평생고는 지금 힘들다는데요."

"그렇죠, 처음이니 얼마나 힘들겠어요?"

"아니요, 실장님 말고 그 학교 직원들이요, 벌써 군기를 잡고 있대요."

"아, 그 의미군요, 하하."

지난주에 신일고 김 사무관에게 들은 얘기로는 전임 진 사무관이 재산 담당을 얼마나 심하게 혼냈는지 주눅이 들었다는 말도 들었다. 나는 직원이 워낙 말 표현이 서투르고 나를 어려워해서 그런가 보다 했지만 그게 아닌 모양이다. 혼낼 땐 혼내도 풀어줄 땐 풀어주며 일로만 혼내야지. 사람 인성까지 들먹이며 혼내면 안 될 텐데, 아마 그런 점이 부족했지 싶다.

나도 이 좋은 학교에서 직원들이 일을 잘할 수 있는 여건을 조성해 주고 교장 선생님이 교육자로서의 꿈을 마음껏 펼칠 수 있도록 하며 교직원들이 더 편한 환경과 학생들이 본인들의 꿈을 이룰 수 있는 훌륭한 여건을 조성할 수 있도록 최선의 노력을 다할 생각이다.

새로운 아이디어와 깊은 생각을 통하여 학교가 지역에서도 더 좋은 명문 학교로 거듭날 수 있도록 나의 발령이 더 좋은 일이 될 수 있도록 힘쓰고 싶다.

교육청 전입이 뭐길래?

지난주 목요일은 지역교육청을 다녀왔다.
7.1일 자 인사발령과 관련하여 현재 근무하는 학교 과장의 도움 요청이 있었기 때문이다.
"실장님 도와주세요, 교육청 과장님 만나고 싶은데 함께 가주실 수 있으신지요?"
지난주 화요일에 송 과장이 내게 메시지를 보냈다.
"당연히 같이 가요."
하고는 교육청 과장님께 메시지를 보냈다.
"과장님 우리 학교 송 과장이 7.1일 자 내신 문제로 과장님을 찾아뵈었으면 하는데 혼자 가기가 부담스러운가 봐요, 제가 같이 한번 들르겠습니다."
오전에 문자를 보냈는데 오후 4시경 되어 답 메신저가 왔다.
"죄송해요, 제가 이제야 봤네요, 제가 이번 주 이틀 연가라 인사 문제는 담당 팀장님하고 얘기하시면 좋을 것 같아요."
"알겠습니다."하고 답을 보냈다.
내심 아쉬운 부분은 있었다.
팀장은 6급이고 나는 5급인데 팀장하고 의논하라는 게 좀 서운하기도 했다.
더군다나 내신을 낸 사람이 인사 고충 차 만나보고 싶다면 "네 한번 들르세요." 라든가 내가 부담스러우면 "과장님만 보내세요." 하면 좋았을 텐데 하는 아쉬움이 있었다.
나라면 당연히 " 담당자만 보내 주세요, 제가 충분히 들어볼게요." 했을 터였다.
나는 약간의 자존심에 상처를 입었다.

"교육청 과장님이 이번 주 연가라 담당 팀장 만나 의논하라 네요."

"네, 그래요."

"내일 쉬고 모래 교육청 연락해서 같이 가요."

"알겠습니다."

"그런데 아시겠지만, 교육청 팀장으로 들어가기가 쉽지 않아요."

"그런 것 같아요. 작년 1월에 과장 인사에서도 그걸 읽을 수 있었어요, 대부분 지금 국장님하고 그전에 근무했던 사람들이 다 과장 자리를 차고 있고 그 팀장들은 과장하고 인맥이 있는 사람들이 대부분인 것 같다고 생각했어요."

"네. 저도 그런 생각이 들어요, 예전에 제가 교육청 팀장으로 들어갈 때도 그랬어요, 대부분 팀장이나 과장이 반대했어요. 이유는 제가 고경력자라 그런데 그걸 국장님이 밀어줬어요, 그 전에 연구회 활동하면서 제가 일하는 걸 좋게 본 모양이에요."

"아, 그러셨군요?"

"그게 관운인데 그렇게 누군가가 나를 인정해 주는 사람이 필요한 것 같아요."

"그러게요, 저는 인정해 주는 사람이 없는데요."

"제가 봐도 그게 아쉬워요, 과장님과 근무를 같이해 본다면 팀장으로 충분한 능력이 있다는 걸 알게 될 텐데 말이죠."

"네네."

다음날 경영지원 팀장에게 메신저를 보냈다.

"팀장님, 오늘 자리 계시면 송 과장하고 잠시 찾아뵈려 해요."

바로 답장이 왔다.

"알겠습니다. 방문해 주세요."

"과장님 10시에 출발합시다."

"네. 실장님."

차를 달려 교육청에 바로 도착했다.

담당 팀장은 우리를 보자 바로 상담실로 안내했다.

인사 담당 차석도 합석했다.

"우리 과장님이 7.1일 자에 2년이 돼서 내신을 내긴 했는데 교육청에서 팀장으로 역량을 발휘하고 싶은 모양이에요."

"아. 그랬군요."

"네, 팀장님 저도 학교 경력만 있어서 뭔가 생활에 변화를 가져오고 역량 있는 일을 하고 싶어요."

"저희도 상담하러 오거나 전화가 오면 어려운 부분들이 있어요, 정작 열심히 일할 7.8급에는 안 들어오고 승진 때가 되니 팀장으로 다 들어오려 해서요."

"전 근평을 안 받아도 괜찮아요, 처음에 오자마자 받는 건 생각도 하지 않고요, 단지 다른 다양한 일을 하면서 팀장의 역할을 다해보고 싶어요."

그 말을 듣다가 나도 한술 덧붙였다.

"우리 과장은 교육청에서도 얼마든지 역량을 발휘할 수 있을 거라 생각해요, 추진력과 기획력이 좋거든요."

"무슨 말뜻인지는 잘 알겠습니다. 그런데 오신다 해서 송 과장님 6급 승진날짜를 보니 저보다 2년이나 빨라요, 더군다나 다른 팀장들보다도 빠르고요, 만약 청에 들어오면 인사가 다 틀어져서요."

"저는 근평 안 받아도 돼요."

"그런데 그게 어려운 게 근평을 해서 도에 가면 왜 경력 무시했냐고 다시 반려해요. 경력대로 갈 수밖에 없는 점이 있어요."

"아, 그런가요?" 한마디하고 과장은 말을 잃었다.

메시지는 분명했다.
현재 경영지원 팀장이나 다른 팀장보다 고경력자는 받아들이기 어렵다는 뉘앙스였다.
"교육청에도 어려운 점이 있군요."
"그렇게 잘 이해해 주시면 좋겠어요."
송 과장도 이제 자리에서 일어나려 했다.
"그래요, 담에 또 봐요."
"과장님 너무 서운해하지 말아요, 나야 과장님이 학교에 더 있으면 좋지만, 과장님은 가고 싶어도 가기 어려우니 말이죠."
청을 나오면서 말을 붙였다.
"사실 어려울 거라는 생각은 했어요."
"내 생각도 6개월 같이 있다가 7.1일 자로 국장님이 누구로 바뀌는지 보고 내년 1.1일 자에 다시 도전해 봐요?"
"네."
대답하는 과장 목소리는 풀이 죽어 있었다.

저녁에 같은 지역에 근무하는 김 사무관이 전화가 왔다. 이런저런 이야기 하다 지역팀장에 관한 얘기가 나왔다.
"형님, 이번에 본청은 시험 대상자를 6급을 8년에서 10년으로 조정했어요. 지역청도 12년은 돼야 하고 학교 근무자는 시험 3번 볼 수 있는 기회만 받아도 다행 같아요."
"아 그렇게 됐어요?"
"그동안 말이 많았잖아요, 본청에 있는 사람들 시험 너무 빨리 본다고?"
그랬다. 사실 내가 시험 볼 때만 해도 도 교육청은 6급 8.9년짜리가 즐비했고 학교 근무자는 13~15년은 되어야 시험응시가 가능했다.
"그럼 우리 교육청 같으면 이제 경영지원 팀장이 8년 차니깐 시험이 멀었네?"

"그런 것 같아요, 우리 교육청은 잘못하는 것 같아요. 팀장들이 너무 경력이 낮아요."

"잘못하면 교육청은 청에선 내년엔 한 명도 시험 못 본다는 얘기가 나오겠네요? 학교도 상대적으로 손해고요?"

"그러게요."

결국 교육청에서 이번 과장 인사를 거부하는 이유는 분명했다. 고경력자가 들어옴으로써 본인들이 뒷순위로 밀려나기 때문이었다.

이번 인사 고충을 보면서 내가 실장으로서 힘을 크게 쓰지 못하는 점이 아쉬웠고 그것은 개인의 힘이 작용하면 이권 개입이니 그러한 일은 안 되는 것으로 생각했으며 단지 장기 연수 등을 통해 능력이 있는 사람들을 교육 시켰으면 팀장으로 활용하고 능력을 키워가야 하는데 선배기에 인사가 뒤틀어져서 안 된다고 하는 교육청 시각에는 아쉬운 점이 있었다.

하루빨리 우리 과장이 더 좋은 기회를 만나 팀장으로서 능력을 발휘할 수 있는 날이 오기를 소망해 본다.

예방만이 살길이다

벌써 15년 전의 일이다.
고양시에 있는 초등학교에 행정실장으로 근무할 때의 일이다.
새벽 4시 전화기에 벨이 울린다. 잠결에 깜짝 놀라 수화기를 든 순간 "학교인데요. 실장님 큰일 났습니다." 당황한 기색이 역력한 당직자의 목소리가 귓전을 울린다. 요즈음엔 당직 업체에 용역 계약하여 숙직업무를 하지만 당시만 해도 학교에 근무하는 기능직공무원이 교대로 당직하던 시절이었다. 한밤중이나 새벽녘에 오는 전화는 두 가지다. 하나는 친척이나 아는 분이 돌아가시거나 위중한 경우이고 다른 하나는 직장과 관련한 불길한 사고이기 때문이다.
"무슨 일인데요? "
"지하 기계실이 물로 가득 찼습니다. 물이 지하 계단 꺾어지는 부분까지 올라왔습니다."
순간 아차 하는 생각이 들었다. 전기와 물은 상극이라는 기본 상식도 들었던 터라 인명사고가 나면 더 큰 일이란 생각에 신신당부했다.
"절대 물속에 들어가지 마시고 소방서에 먼저 연락하세요. 제가 교장 선생님께 연락드릴게요."

난 황급히 옷을 주섬주섬 입고 당시만 해도 자가용이 없던 터라 인천 석남동에서 고양시까지 출퇴근하던 때였다. 나와서 택시를 잡아타고 학교에 도착해보니 형언하기 어려운 상황이 벌어져 있었다. 소방차는 경광등 불빛을 번뜩이며 소방호스를 연결해 물을 퍼내고 있었고 당직자는 황급하여 어찌할 바를 모르고 있었다. 그날 온종일 소방차 호스로 물을 퍼냈다. 사고가 날려면 운동회날 갑자기 방송이 중단되거나 학력고사 같은 국가적 행사 경우 듣기평가 시험에 방송이 말썽을 부리는 경우처럼 그 전날 단수가 되어 있었는데, 밤 11시경부터 물이 나왔는데 때마침 물탱크에 있는 볼탑(일정한 높이가 되면 자동으로 물의 수위를 조절하여 물이 나오지 않게 막아주는 장치)이 고장이 나면서 물은 기계실로 흘러내렸고 엎친 데 덮친 격으로 자동 배수펌프가 고장이 나 이러한 사태가 벌어진 것이었다. 신설 학교의 경우 MCC 패널이라 하여 마그네틱이 수없이 꽂혀있고 펌프도 돌리는 시스템이었다. 문제는 그 마그네틱들이 물에 한 번 잠기면 쓸 수 없다는 데 문제점이 있었다. 비용을 산출해보니 거의 150만 원 정도의 거금이 나왔다. 90년 당시의 150만 원이면 지금의 700만 원은 될 듯싶다. 공무원 신분에 시설관리의 잘못은 그에 따른 책임이 수반됨을 알기에 업체에 사정하여 80만 원 정도로 인건비를 제외한 실비를 주기로 하고 그날의 당직자, 교장, 행정실장인 나 이렇게 셋이 책임 비율로 안분하여 변상 처리했다.
그 돈의 아쉬움이라니.
조그마한 실수를 평소에 사고를 예측하지 못함이 원인이었다.

지금은 어느 곳을 발령받더라도 먼저 단수가 된다거나 그 전후에는 당직자나 관련 기능직공무원에게 주의를 환기하게 시키며 평상시 자동 배수 모터의 점검도 게을리하지 않게 되었다. '소 잃고 외양간 고치는 격'이지만 그때의 경험이 산 지식이 되어 더 큰 화를 미리 방지할 수 있는 계기가 되었다고 생각한다.
지금도 학교를 순회할 때면 안전과 관련한 여러 부분을 보게 된다. 구령대 용접 부분의 약함으로 인하여 아이들이 낙상할 우려, 체육관 지붕 마감재의 고정이 견고하지 못하여 추락 때 안전사고의 우려, 창문에 갈라진 유리를 방치함으로써 생길 수 있는 상처 등을 미리 확인해보는 습성이 생겼다.
'선택의 또 다른 이름은 포기'며 '하나를 버리면 새것을 얻는다' 하지 않는가!
한 발짝 앞으로 나가기 위해서는 익숙한 것을 버려야 한다는 진리를 다시 되새겨봄 직하다.
생활 주변에서 일어날 수 있는 여러 요인을 분석하고 예상함으로써 더 큰 사고의 개연성을 줄이는 것이 당장 우리가 재해로부터 안전할 수 있는 시금석이 된다고 생각한다.
지금 당장 내 가족과 내 이웃을 위하여 내가 위험을 줄일 수 있는 것이 무엇인지 생각해보자. 실천하지 않은 지식은 죽은 것이란 말을 되뇌며.

특별한 만남

"과장님, 다음 주 화요일 시간 한번 내주세요. 저녁이나 한끼 같이 하고 싶습니다."

집 가까운 지역으로 발령받아 오면서 그 전부터 익히 알고 지내던 전 과장에게 문자를 보냈다.

물론 작년에 정년퇴임하고 이제는 민간인으로 돌아간 분이다.

학교 근무 당시에는 꽤 악명도 높았다.

워낙에 성격이 꼼꼼하고 조그마한 잘못도 용서하지 않는 성격이라 많은 분이 그분과 같이 근무할까 봐 전전긍긍했다.

오죽하면 그분이 내신을 내면 그 주변의 학교가 벌벌 떨고 실제로 그 학교로 발령 나면 몇몇 직원들은 휴가를 내기 일쑤였다.

"어 그래요, 화요일 3시쯤 다시 연락해 줄게요."

집에 돌아오는 길에 아내에게 이 사실을 알렸다.

"다음 주 화요일에 전 과장님 만나 저녁하기로 했어. 점심은 복무 점검으로 매우 부담스러워서."

"어. 알겠어요. 오랜만에 보겠네?"

"그치."

전 과장하고 인연이 된 것은 2004년부터 2006년까지 지역 지구 행정 연구회 일하면서부터이다.

과장이 회장이고 내가 총무인 관계로 매월 발송하는 회의 공문, 틈틈이 준비하는 자료, 주최학교 일정, 식사, 당해 연도의 회의를 결산하는 일, 회지작성 등이 모두 총무인 내 몫이었다. 처음에 전 과장은 꼼꼼히 안내장 공문도 보시고 본인의 표준화된 틀을 주기도 했다. 그 해 말에는 1년 동안의 회의 성과를 모아 회지를 발간하기로 했는데 행정학회지 폼을 주면서 우리 회지도 이렇게 발급하자 했다. 나는 회원들한테서 모은 자료를 모아 회지 초안을 작성해 보여주니 꼼꼼히 한번 검토해 보고는 이후 나머지 일들은 내게 다 맡겼다.
나는 교육학회지 샘플을 보고 글자 크기, 글자체, 여백 등을 보아가며 회지를 작성하였다. 사진도 넣고 인사말도 넣고 하여 제법 그럴듯한 회지가 발간되었다.
과장은 엄청나게 흡족해했다.
다음 해도 마찬가지로 연말에 회지를 발간하는데 이번엔 거의 거들떠보지도 않고 나보고 알아서 하라 했다.
그때 서야 이분의 일하는 스타일을 알 것 같았다.
'꼼꼼하지만 잘하면 무조건 믿고 맡기시는 분'이라는 인식이 각인됐다. 2007년 여름에 일반직 국외 테마 연수를 가게 되었는데 마침 전 과장도 회원으로 선정되어 같이 캐나다 9박 10일 연수를 다녀왔다. 우연히도 전 과장과 한방을 쓰게 되어 며칠 동안 대화와 토론을 통해 어떤 분인지 더 자세히 알게 되었다. '소박하지만 큰 욕심도 없는 겉치레를 싫어하고 실속 있는 사람'이라는 인식이 들었다. 아마 과장도 나를 생각할 때 '대체로 일도 잘하고 성격도 좋다고 생각하지만, 고집도 있다'라고 느꼈을지도 모른다.

그러한 인연은 교육청 근무 당시도 전 과장은 평체과장 나는 재무과 관재계 팀장을 하면서도 이어지고 접촉할 기회도 많았다.
"정가네 만두 샤부샤부로 할게요. 미래에셋서 5시 30분에 나가니 50분 정도면 도착할 것 같아요."
3시 좀 넘어 전 과장 문자가 왔다.
"그럼 제가 그 장소를 가겠습니다. 좀 있다 뵙겠습니다."
"네. 그래요."

일이 끝나고 5시쯤 출발하여 약속 장소에 도착했다.
잠시 뒤 과장님이 나타났다.
"과장님, 잘 지내셨어요?"
"어 그래요, 늦었지만 축하해요."
"감사합니다."
이번에 사무관으로 승진 발령받고 집 근처로 오게 되었기 때문이다.
"그 학교는 분위기 괜찮고?"
"다 좋습니다. 이번에 따님이 우리 일반직 시험 합격했다는 말은 들었는데요?"
"동부교육지원청 교수학습 과로 1.1일 자 발령 났어요."
"축하합니다. 그전에 음악 전공했던 걸로 기억되는데요?"
"예고 나와 중대 작곡과 졸업했어요."
"아. 근데 공무원 시험을 보다니 참 잘했네요."
"작곡과는 워낙 공부 머리가 있어야 하는데도 별 과외를 시키지도 않았는데 합격했네요."
"다, 과장님 복입니다."
"정 사무관 아이들도 많이 컸지?"
"다 컸어요, 막내도 작년에 군대 가 있습니다."
"그래, 애썼네."
"그렇게 어찌 지내세요?"
"어, 남들은 한가하다 하는데 정작 난 바쁘더라고, 아침에 아이들과 집사람이 출근하고 나면 내가 설거지하고 빨래도 하고 그러면 벌써 오전이 후딱 가, 미래를 위해 강의를 들으러 다니고 하던 공부를 마저 하느라 바쁘네."
"대학원 다 나오셨는데 무슨 공부요?"
"어, 교육학 박사과정 마무리 단계라."
"과장님의 공부와 끊임없는 노력은 대단하신 것 같아요."

"아구 별것도 아닌데 뭘."

"하여튼 축하드리고요. 운동 같은 건 하세요?"

"작년 9월부터 매주 등산을 다녀, 보통 5시간 산행을 하는 것 같아, 이제 한주 빼먹으면 개운하지 않더라고."

"이제 운동 중독되신 거예요?"

"나이 먹을수록 운동이 필수인 것 같아."

"그럴 거예요."

"이제 나이를 먹고 하니 복잡하게 살고 싶지도 않더라고."

"그런 것 같아요, 저도 꾸준히 이어오는 모임 중 하나가 10년 전 근무하던 중학교 모임인데 다 정년하고 현직엔 둘밖에 없어요. 그들을 만나면서 제 10년 뒤 모습을 미리 보는 것 같아요. 정년퇴직하신 분들 한결같이 정년 후 첫 1~2년이 참 좋다고들 하시더라구요."

"그럴 거야 70 넘으면 관절염 등으로 운동하기 어려운 걸 흔히 보니 말이야."

"네. 그리고 김형석 교수의 <100년을 살아보니>에서 김 교수님은 우리 나이로 65세가 제일 좋았다고 말하더라고요. 그 책 보면 그때가 생활의 여유와 더불어 시간적 여유도 많은가 봐요."

"그럴 것도 같네, 보통들 그 나이면 아이들 교육 끝나고 정년하고 자기만의 시간을 가질 수 있으니 그런가 보네."

"그런데 아쉬운 건 모임에서 남편분들 이야기도 하잖아요?"

"그렇지."

"남편분들을 보면 거의 70대인데 건강 때문에 여기저기 수술하는 경우들이 많아 걱정스러워해요. 70대도 관리 잘해 건강해야 할 텐데 말이죠."

"전국노래자랑 사회자 송해 씨를 보게나 그 사람이 건강한 이유가 뭐라 생각해?"

“아마도 전국을 돌아다니면서 산해진미를 먹는 것과 무대에서 늘 웃는 것, 6살짜리 꼬마도 오빠라 하니 얼마나 기분 좋겠어요. 그런 여유로움이 장수의 비결 같아요.”

“나도 그리 생각해. 자네도 신승산업 박 사장 알지?”

“네. 알죠.”

“그분이 얼마나 건강해?”

“그러게요. 저희 아버지가 올해 90인데 그분이 2~3살 아래였던 걸로 기억해요.”

“그분 건강 비결이 무엇 같은가?”

“아마도 지금까지 일을 놓지 않으니 치매에 걸리지 않고, 젊은 사람들과 함께하는 부분 아닐까요?”

”그렇기도 할 거야. 근데 나는 그것 말고도 그분이 색다른 일이 아니고 늘 그 일을 꾸준히 한다는 데 있는 것도 같아, 새 일이면 스트레스를 많이 받을 텐데 말이지?”

“그런 것도 있을 수 있겠네요.”

“아무튼 과장님도 일주일에 한 번 늘 꾸준히 운동하신다니 늘 건강하시고요, 차후라도 가끔 제가 전화하면 만나서 식사나 하시죠.”

“그래. 그러자고, 오늘 일부러 자리 마련해줘서 고마워.”

“아닙니다. 제가 더 좋은데요, 이렇듯 건강한 거 뵈니.”

“그렇게 또 보세.”

“안녕히 가세요.”

과장님과의 이별하면서 공직에서 얼마나 잘해야 늘 후배들이 흠모하고 존경을 받을 수 있을지 궁금하다.

나도 누군가가 내가 정년퇴직해도 찾아주고 연락해 주는 좋은 후배가 있었으면 좋겠다. 그러한 날들을 만들기 위해 오늘도 나는 이해와 너그러움으로 사람들을 대하고 싶다.

"실장님, 조금 전에 시니어 노인분들 관리하는 데서 전화를 받았는데 학교에서 전화해서 노인분들 배치 건에 대하여 뭐라 한 모양이에요."

"학교에서 시니어 담당자한테 전화했다는 거죠?"

"네. 그렇다네요."

"연락처를 한번 줘보세요, 제가 자세히 알아볼게요."

"이 번호로 하세요."

점심을 먹고 커피 한 잔을 막 하려는 차에 교통지도를 담당하시는 한 부장님이 들어오자마자 전한 말이다.

이내 나는 전화기를 돌려 부서 연결을 시도했다.

"조금 전에 부장님한테 얘기를 들었는데요. 어찌 된 상황인지 알고 싶어서 전화했습니다."

"아까 오전 11시경에 김상선이란 분이 전화해서는 학교에 다 늙은 송장을 보내면 어떻게 하느냐? 뭐 하자는 건지 모르겠다며 담당자에게 통화를 했어요."

"그래요? 김상선이라면 우리 학교 당직자인데요, 학교 당직은 업체와 용역 계약을 체결하고 그 당직자는 학교로 파견 나오는 상황인데 학교의 대변자나 관계자도 아닌 분이 학교 관계자인 양 말하는 것도 그렇네요.

전 국가적으로 노인 일자리 차원에서 노인분들을 배치하는 부분에 대하여 산 송장 운운은 절대 하지 말아야 하는 부분 같은데 그건 큰 잘못인데요. 제가 대신 사과드립니다."

"그러게요, 저희도 처음에 당황했어요."

"아, 그러면 절대 노인분들에게 그러한 말이 들어가면 실망이 클 테니 그분들 귀에 안 들어가게 해 주세요. 제가 당직자가 4시면 오시거든요, 오시면 확인해보고 그러한 일이 있다면 강력하게 말씀드려 재발하지 않도록 하겠습니다."

"고맙습니다."

"아까 걸려 왔다는 전화, 시간대와 전화번호를 알려주시면 제가 그 부분도 확인해볼게요."

"곧 핸드폰으로 문자 드리겠습니다."

내용은 대략 이러한 상황이다. 당직자가 어찌 된 영문인지는 몰라도 아침부터 전화해서 노인분들, 그것도 송장 같은 노인네들이란 표현을 써가며 그분들을 학교로 배치하는 것에 불만을 품고 관련 부서로 전화했다는 것이다. 만약 이러한 일이 사실로 밝혀진다면 문제가 아닐 수 없다.

당직자는 처음 우리 학교 올 때부터 약간의 문제가 있었고 근무 중에도 시시콜콜 민원이 끊이지 않았으니 말이다,

석촌중에서 근무하다 우리 학교로 처음 인사하러 왔을 때 반장님께 들은 내용과 석촌중 학부모이기도 했던 행정실 신은정 주무관의 말에 의하면 당직 중 자리를 두 번 정도 비워서 그 학교에서 잘렸다는 얘기를 들은 터였다.

"세상에 완벽한 사람이 어딨어? 오히려 그러한 불명예가 본인에게 큰 반성의 계기가 되고 지금부터라도 근무를 잘할 수만 있으면 되지."하고 받아주기로 결심하였다.

계속 지켜보니 학교에 근무 시간 도착이나. 근무 전 당직 준비, 학교 주변 청소, 당직 중 지시받은 사항에 대한 철저한 이행 등 좋은 점들이 많았다.

그러나 수시로 민원이 끊이지 않았다.

체육관을 대여해주는 배드민턴 동호회와는 대여 시간과 겨울철 본관 화장실 사용 문제로, 주무관들하고는 열쇠 등의 문제로, 시니어 교통지도하는 분들과는 당직실 사용 문제로, 학교로 공사 온 업체와는 공사 시간 문제로, 교직원들과는 미리 연락이 없이 근무하거나 늦게까지 근무하는 문제로, 배움터 지킴이와는 차량 10부제 문제로 언뜻 보면 늘 다툼과 불화를 온몸에 지니고 다니시는 분으로 오해받기에 십상이었다.

“시니어분들 얘기를 들어보니 당직자가 그분들한테 당직실을 왜 사용하느냐고 계속 핀잔을 주나 봐요.”

“그래요? 그러시면 안 되는데요. 그분들이 달리 갈 곳이 없는 걸 알면서 말이죠.”

“그러니 말이에요.”

“아침에는 청소 아주머니께도 뭐라 했나 봐요. 생전 말이 없는 분인데 몇 개월 만에 처음으로 불편하다고 얘기를 다 하네요.”

“당직자분이 다 좋은데 인간관계에서 서툴러요, 학교가 개인 것도 아니고 민원인들에게는 학교의 얼굴인데 말이죠.”

현관에 나오니 교장 선생님과 특수학급 이영순 부장이 말씀을 나누고 있었다. 교장 선생님은 나를 보자마자 예의 당직자에 관한 얘기를 꺼낸다.

“그런데요 실장님 이 얘기를 해야 하는지 안해야 하는지 몰라 망설이는 참이었는데, 교장 선생님이 말씀하셨으니 얘기를 할게요.”

“말씀하세요.”

“어제 학교에 좀 늦게까지 있었는데요, 당직 기사님이 술을 좀 하신 것 같았어요. 저보고 저녁도 같이 먹자고 하더라고요.”

“술은 절대 안 되죠.”

“그러니깐요.”

“실장님, 업체에 이번에는 잘 얘기하고 시정되지 않으면 바꾸는 방향을 생각해보세요.”
“네. 알겠습니다.”
“그래도 이전에 비하면 아주 친절해졌는데, 그래도 생각을 바꾸어야 할 것 같아요.”
참 생각이 복잡해졌다. 당직 전 준비, 청소, 명령 이행 등은 철저한데 왜 항상 사람들과 부딪히는지 알 수 없는 일이다.
화단을 쓸고 있던 배움터 지킴이 진 선생님은 당직자에 대하여 더 화가 나 있었다.
“이거 버릇을 고쳐줘야지 어디 노인분들한테 막말하고 그래?”
“그러게 말입니다.”
“반장한테 말해서 아주 잘라버려야겠어요.”
“진 선생님 그건 월권이에요. 어떻게 진 선생님이 당직자를 잘라요?”
나는 정색을 했다.
“아, 학교 실장님께 먼저 말씀드리고 교체하자고 건의드려야죠.”
마침 혁신학교 중간 평가 관계로 외부 손님이 오시기로 되어 있어 주차장에 서 있는데 교무부장이 가까이 왔다.
“실장님 이영순 부장님께 말씀 들었는지 모르겠는데요?”
“아. 당직자 음주요?”
“네. 어제 출근 때에는 술 냄새가 없었는데 저녁 8시 정도 제가 학교에 왔거든요, 그때 당직자를 찾았는데 안 보이는 거예요.”
“네.”
“그런데 1층 화장실 앞에 딱 서 계신 거예요, 컴컴한데 어찌나 놀랐는지.”

"아. 그러셨어요?"

"그런데 술 냄새가 많이 나더라고요, 아마 술을 어디 놓고 드시는 것 같았어요."

"아. 그러다 만약 화재 등 위급상황에 어찌 대처하겠어요?"

"그러게 말이에요."

"그리고 더 문제는요. 저녁을 이영순 부장님과 같이 먹자고 했다더군요?"

"네네. 그것 좀 이상하긴 하네요, 술 마시고 저녁 먹자 하고."

"더 의문은요. 화장실 앞에 서 있는데 여자들 민소매 드레스 있잖아요? 여자들 옷?"

"네."

"그걸 입고 있으신 거예요. 바로 갈아입고 오셨지만요."

"에구, 그건 당직자의 자세가 아닌데요. 제가 출근하면 자세히 좀 알아보고 조치해야 할 듯해요."

참 막막한 일이다.

자꾸만 일이 심화 확대되는 듯하다.

자기주장 속에서 벗어나 본인을 객관적으로 볼 수 있어야 하는데 말이다.

몇십 년 동안의 습관이 그리 쉽게 바뀌는 것도 아니고 말이다.

이것이 다 조직 안에서 발생하고 발생할 수 있는 문제로 원만한 해결책을 찾아야겠다. 머릿속이 어지러워지는 하루다.

학생회장 투표

"따르릉, 따르릉. 교감 선생님. 모닝커피 한잔하세요?"

"네 알겠습니다. 곧 내려갈게요"

"교감 선생님 새해 복 많이 받으세요, 올해는 좋은 일들만 넘쳐나시길 기원합니다."

"실장님도 건강하시고 복 많이 받으세요."

"감사합니다."

"교장 선생님은요?"

"아직 출근 전이세요, 근무조가 아니시니깐 한 10시경 오시지 않을까요?"

"그렇겠네요, 오늘 교육청 들어가실 텐데. 걱정입니다."

"그러게요, 그 학부모는 좀 수그러들었나요?"

"아닌 것 같아요. 지난번 토요일에도 대책을 의논하느라 오후 4시에 갔어요."

"차라리 한번 전화해보지 그러셨어요?"

"그렇지 않아도 교무부장이 전화하는데 말이 안 통하더랍니다. 원래대로 해달라고 처음하고 똑같대요."

"걱정이네요, 신년부터 일이 잘 풀려야 할 텐데. 더군다나 학교 이미지를 중시하시는 교장 선생님이 얼마나 실망했겠어요?"

"그러게요. 이젠 대책이 없더라고요."

며칠 전 일이다, 벌써 일주일이 다 돼간다. 교장 선생님은 2학년 수학여행 현지답사로 1학년 부장님과 학부모하고 출장 중이셨는데 교감 선생님이 상기된 표정으로 행정실에 내려오셨다.

"실장님, 큰일이네요."
"왜요, 교감 선생님 뭔 일 있으세요"
"네, 학생부에서 학생회장 선거를 잘하지 못한 거 같아요."
"지금 떨어진 학부모가 선거 무효라고 찾아왔더라고요."
교감 선생님 말씀인즉 요 며칠 2007학년도 학생회장 선거가 있었는데, 학생부에서 후보자 등록 때까지 1명밖엔 입후보등록을 안 하니깐 공고 없이 기일을 연장하여 후보자를 며칠 뒤에 한 사람 더 받았는데, 나중에 등록한 학생이 학생회장이 되었다는 것이다.
이러한 사실을 안 맨 처음 등록한 학생 부모가 입후보등록기일이 지난 다음에 받았기에 무효라는 것이다. 그 부형은 재선거는 원치 않고 원래 상태, 즉 한 사람만 입후보했던 상태로 되돌려 달란다. 해결이 안 날 문제다.
"학생부장은 기간이 지난 뒤에 왜 더 받아서 이런 분란을 일으켰는지 모르겠어요. 실장님."
"그러게요. 추가로 받으려면 내부 기안하여 결재 맡고 공고를 다시 해야 했는데."
"그러게요, 일을 몰라도 그렇게 모를까요?"
"아까 부형이 남편분하고 같이 와서는 교장 선생님이 오시면 마저 말씀하자네요, 제가 결정권이 없잖아요."
"잘하셨어요."
"몇 표 차이라는데요?"
한 400표 차이래요, 재선거해도 순위가 뒤바뀌지도 않아요."
"그렇겠네요, 그렇게 큰 차이면."

"학생부장이, 그게 어디 부장이야?"
교장실에 들어가니 교장 선생님은 크게 흥분해 있었다.
"교장 선생님 진정하세요."

"교감 선생님, 글쎄 표 차이가 400표가 아니라 210표 차이라네요."
"아 학생부장이 400표 차이라 하더니."
"알고 봤더니 210표 차이래요, 어쩌면 좋아요?"
큰일이 아닐 수 없다. 학부모는 학교에서 의도적으로 회장을 당선시키기 위하여 조작했다고 난리를 치는 것이다. 선거 당일 학생부장은 개표를 보지도 않았다고 교감 선생님은 말씀하신다. 그날, 같이 개표를 보았던 학생부 소속 선생님들의 말이란다

며칠 전 그 학부모는 그예 교장실로 쳐들어왔다. 학생부 선생님 몇 분이 불려들어가고 처음 출마한 학생의 담임인 진 선생님은 거의 혼절한 상태로 울고 나왔다. 나중에 들은 얘기론 교장실에서
"네가 한 게 뭐 있냐? 그러고도 네년이 담임이냐? xx야."
라고 폭언을 퍼부었는가 보다.
그날 교장 선생님은 그 부형한테 머리를 조아리고 빌었다 눈물로.
"내가 잘못했노라고 용서해 달라고."
교감 선생님은 교무실로 올라가서는 펑펑 눈물을 쏟았단다.
그런 폭언을 듣고도 참아야 하는 현실이 미치도록 자존심을 건드린 모양이다. 그런데 오늘 전화를 해서는 표 차이가 400표가 아니라고 새로운 주장을 하며 좌시하지 않고 내년 1.5일까지 원상태로 되돌리지 않으면 교육청에 민원을 제기하겠다고 위협하고 간 것이다.

이제 학교에서의 선택의 길은 없다. 교장 선생님은 학교 이미지와 학부모를 중시하는 철학을 접고 교사 폭언에 당당히 나서기로 결심한 것이다. 오늘 관내교육청에 들러 교육장과 중등교육과장을 만나고 온 것이다. 이제 주사위는 던져진 듯하다.

어찌 결말이 날지. 이러한 학교에서의 일련의 움직임은 학부모를 통하여 넌지시 전달이 될 것이다.
교사 폭언으로 명예훼손으로 고발할 것인지 아니면 학부모가 한발 양보하고 사죄하며 학교장의 사과를 받아들일지 선택은 학부모의 손에 있는 것만은 명확하다.
교장 선생님은 40년 교직 생활에 씻을 수 없는 충격을 받은 모양이다. 그러나 어쩌랴 당당히 맞설 수밖에.
좋게 해결되기만을 기원해 본다.

후배에 대한 선배의 도리

"잘 지내고 있어요? 이제 학교 적응은 좀 되나요?"

"앗. 실장님, 덕분에 잘 지내고 있어요."

"다니시기는 좀 어때요? 힘들지 않아요?"

"적응돼서 괜찮아요."

오랜만에 우리 학교 근무하다 7.1일 자로 금산초로 간 이은재 실장에게 메신저를 넣었다.

이번 동아리 연수에 오게 되면 보고 말하려 했는데 코로나19로 인해 각종 연수 등이 취소되어 오지 못한다고 했기 때문이다.

일전 과장님으로부터 이 실장이 학교 체육관 증축 문제로 어려움에 부닥쳤다는 말을 들은 터라 그 걱정을 해결해 주고 싶은 마음도 있었기 때문이었다.

"체육관은 다 지어졌나요?"

"아니요, 장마로 9월로 연기되었어요."

"체육관 공사가 끝나야 한시름 놓을 텐데 말이죠."

"그러게요. 알게 모르게 무지 바빠요."

"그럴 수밖에요, 체육관 증축 하나만 해도 부수되는 업무가 얼마나 많은데요. 그 외에도 다른 일들이 많을 텐데요."

"그런 것 같아요, 2달을 어찌 지냈는지 정신이 없었어요."

"당연하죠, 실장은 처음 해 보는 거고 또 일이 많은 학교라서요."

"그런 것 같아요."

"교장님하고 마음은 잘 맞아요?"

"네. 저는 편해요, 저하고는 잘 맞나 봐요."

"그게 제일 중요해요."

"그런 것 같아요."
"일하다 어려운 점 있으면 교육청 관련 과와 선배들, 본청 고문변호사들 조언을 받아요."
"알겠습니다."
"이 실장님은 똑똑하고 현명하니 실장 역할을 잘 해낼 거예요, 행정실 직원들도 잘 포용하고요."
"그래야겠어요, 그동안 일이 너무 힘들어 직원들을 챙기지 못했는데, 감사해요."
"아녜요, 이번에 올 줄 알았는데 못 봐서 서운하고요, 다음번에 볼 일이 생기겠죠."
"알겠습니다."
알고 보면 선배랍시고 후배들에게 큰 도움이 되는 일이 없다.
지금 후배들은 내 초창기 공무원 시절보다도 여러모로 힘든 점이 많은 것 같다.
우리 과장 말에 의하면 요즘 시설 주무관이 점점 없어지는 추세고 아예 없는 학교의 경우 비 오는 날 현관에 깔아놓은 천을 누가 준비해야 하는지에 대한 불협화음도 많은 것 같다.
시설 관련 업무니, 행정실 주무관이 해야 한다고 강변하는 교장선생과 일반 선생님들이 있는 것 같다.
내 의견은 다르다.
교육청 근무 당시도 눈이 많이 오는 날은 전 직원이 나와서 주차장과 통행로를 쓸었던 기억이 있다.
학교도 시설 주무관이 있다면야 알아서 할 테니 어려운 일이 아니지만, 시설 주무관이 없다면 모든 교직원이 움직여야 하는 일로 생각된다. 교육청에서 눈이 오면 전 직원이 눈을 치우는 문제와 별반 다르지 않다.
모든 직원이 순번을 짜서 깔판을 준비하든지 학생 등교와 제일 밀접한 부서에서 일찍 와서 준비하는 것이 옳을 듯싶다.

일전에 어느 학교에서는 겨울에 눈이 많이 오는 경우 행정실 직원과 교무실 교육공무직원이 눈을 치웠다 한다. 교장 선생님 지시로 말이다. 이유인즉슨 선생님들은 수업해야 하기 때문이란다. 나는 이해할 수 없다.
누가 누구를 위한 학교는 아니다.
모든 교직원이 학생들을 교육하기 위한 곳이 학교이기에 모두가 함께하는 공동체 의식이 필요하다.
말로만 협의, 소통, 토론이 필요한 것이 아니고 진정 행동으로 모범을 보이는 학교 현장이 되면 좋겠다.
학교는 2원 3원 혹 4원 조직으로 다양한 부류의 사람으로 이루어져 있어 복잡다단한 조직이다.
교원, 일반직, 교육공무직, 기간제 교사 등 말이다.
그러나 절대다수인 교사의 입장으로 학교가 거의 돌아간다. 그것이 올바른 방향이 아니어도 말이다.
학교의 민주화는 아직 요원하다. 다수결로도 어려운 문제요, 소수 의견이 무시당하기 일쑤이다.
그런데도 학교 문화가 우수한 것은 토의 문화에 있다. 주최 측이 한 가지로 정하고 일사불란하게 추진하는 경우는 드물다. 각자의 의견을 듣고 찬반을 논한 다음 결정하는 문화가 지배적이다.
그 와중에 잘못하면 다수결의 원리에 의해 소수의 정당한 요구가 배척당하는 사례도 발생한다.

최근 공문 중에 코로나19로 인해 학교마다 방역 인력을 시로부터 지원받아 아이들 등교 때 발열 체크 등 방역 활동을 하는데 많은 학교가 보건교사의 업무가 아니고 인력과 시설에 관한 부분이므로 행정실에서 해야 한다고 강변하는 사례가 있어 갈등의 씨앗이 되고 있다.
방역 보건 위생에 관한 활동은 초·중등교육법에 따라 보건교사의 직무로 명시되어 있음에도 인원이 없다는 핑계로 행정실로 업무를 전가하는 사례가 발생하는 것이다. 이에 따라 그 좋던 인간관계도 하루아침에 전쟁터로 변하기도 한다. 더 촘촘한 법적 해석과 인원 보강 교육이 필요하다 하겠다.
어떤 학급은 비가 오면 일부 누수가 되는 경우 물받이나 양동이를 놓고 교실에 물을 받는 경우도 발생하는데 어떤 선생님의 경우는 행정실에 연락하여 물을 비워 달라 말하는 학교도 있다고 한다. 참 이해하기 어렵다.
방수 문제가 그 학교 행정실장이나 직원이 잘못해서 생긴 것인가? 시설관리를 담당한다는 이유로 행정실에서 물을 버려야 한다는 건 이해하기 어렵다. 행정실은 시설관리뿐 아니라 예산 집행이 사실 주 업무인데도 말이다.
이러한 이기주의가 팽배해서야 우리 아이들이 무엇을 보고 배울 것인가?

우리는 서로 협력하고 화합하여 아이들에게 모범을 보이고 학교가 더욱 쾌적하고 안락한 생활 속에서 학습하는 환경을 조성하는데 목적이 있다.
우리의 보람은 아이들이 더 좋은 환경에서 자신들의 꿈을 키우고 세상을 향해 우뚝 서는 자랑스러운 인재를 키우기 위함이다.
우리 아이들이 하루빨리 이 코로나19의 상황을 극복하고 천진난만하게 웃고 즐기는 행복한 배움터의 역할을 다했으면 좋겠다.

BTL 성과 평가회 개최

어제는 반기별로 실시하는 BTL 평가회 실시일이었다. BTL은 민간이 학교를 짓고 20년 뒤에 학교에 소유권을 이전하는 사업이다. 해마다 두 번 평가회를 거쳐 임대료를 주는 방식이다.

처음에는 학교 운영위 실에서 하려던 장소를 코로나19로 인해 2층 수업 분석실로 자리 배치를 다시 했다. 오후 3시 되어 운영사와 교육청 담당자가 행정실에 들렀다. 교장 선생님과 함께 3층 평가회 장소에 올라갔다. 운영사, 주무관청, 학교 측 등 총 14명이 참석하였다. 간사인 교육청 박 주무관이 사회를 봤다.

"지금부터 2020 상반기 BTL 운영 평가회를 개최하겠습니다. 먼저 위원을 소개하겠습니다."

교장 선생님부터 참석한 위원을 모두 소개한다.

"그러면 위원장이신 교장 선생님 인사 말씀 있겠습니다."

"요즘 코로나로 인해 복잡한 중에도 평가회를 위해 찾아주셔서 감사드립니다. 모든 일정이 원만히 진행되기를 소망합니다. 감사합니다."

"네, 그러면 운영사 측의 그간의 업무보고를 하도록 하겠습니다."

"총괄소장이 그간의 법정 점검 내용, 건축 관리와 설비 관련 진행, 일상 수선비 사용 내용, 장기수선충당금 사용에 대하여 개괄 설명하였다."

"그러면 그간 운영에 대하여 학교 측의 의견을 듣도록 하겠습니다."

익히 알고 있는 부분이라 딱히 지적할 사항은 없었다. 그러나 한 가지 일의 진행 방식은 짚고 넘어가야겠다고 생각했다.

"네. 제가 말씀드리겠습니다. 들어보니 한 학기 동안 많은 일들을 했네요. 그간의 관심과 노력에 감사드립니다. 그러나 한가지 질의하고 싶은 것은 현재 진행 중인 연못 공사의 경우 처음 얘기가 나오고부터 집행 결정까지가 거의 한 달에서 한 달 반 정도 소요된 것 같은데요? 여러 사정이 있겠지만 왜 이렇게 늦게 결정된 건지 답변해 주시면 고맙겠습니다."

"제가 업무 담당이라서 말씀드리겠습니다."

교육청 최 주무관이 답변했다.

"사실 연못이나 부수적인 데크 공사가 그 이전 방식을 그대로 하는 부분이 아니며 처음 원안보다 작업 변경 요소가 있었고, 민간 견적을 받다 보니 교육청 기준과 맞지 않는 부분이 있어 그 검토로 늦어진 부분이 있습니다."

"아 그랬군요, 지금 사업하는 것을 보니 연못 수심도 30센티미터에서 60센티미터로 깊어지고, 데크의 경우도 더욱 견고한 재질로 넓이는 조금 늘어난 그것으로 알고 있습니다. 그 부분에는 만족하고 감사드립니다. 그러나 지금 코로나19로 학생들

수업이 없어 다행이지 학생들이 수업하는 일상이라 생각하면 사업 결정이 좀 늦어지는 것은 문제가 있다고 생각합니다. 2학기에 외부 도색도 예정이 되어 있는데 그때는 좀 더 빠른 결정으로 사업이 조속히 완료될 수 있도록 협조 부탁드립니다."

"잘 알겠습니다."

"또 다른 의견이 있으신지요?"

아무도 다른 의견 제시를 하지 않아 평상시 궁금했던 부분에 대한 의견을 제시했다.

"교육청이나 운영사 측에서는 내년 사업에 대하여 어떤 계획을 세우고 계시는지 말씀 주시면 좀 도움이 되겠습니다. 사업자 측에서 설명 부탁드립니다."

운영사 차장이 답변했다.

"현재 시점에서는 내년에 어떤 사업을 한다고 말씀드릴 순 없고요, 12월에 내년도 계획 세울 때 학교 측과 의논해서 말씀드리겠습니다."

"물론 그럴 수 있다고 생각합니다. 그래도 한 가지 더 말씀드리고 싶은 것은 우리 학교 체육관 샌딩 작업이 보통 10년 전후로 하는 것으로 아는데 내년에는 그 사업을 우선으로 해 주십사 말씀드리고 싶습니다."

교육청 송 팀장의 답변이 이어졌다.

"물론 바로 해드리면 좋은데 장기수선충당금과 일상 수선비 합계가 20년 동안 10억으로 잡혀 있습니다. 현재 6억 8천 정도 남아 있고요, 20년 도래 때 큰 비용이 지출 예정되는데 급한 게 아니라면 뒷순위로 밀려날 수도 있습니다."

"그래서 드리는 말씀입니다. 우리는 교육적 성과를 위해 일하는데 올 초부터 체육 관련 부서에서 건의가 들어온 사항입니다. 비용이 거의 8백에서 천만 원 든다고 생각하고요, 부서에서 올해는 연못, 데크, 보도블록, 외부 도색으로 샌딩작업은 어렵고 내년에는 먼저 건의해보겠다고 했습니다, 그러니 우선으로 사업추진을 부탁드립니다."

이에 교장 선생님이 거들고 나섰다.

"체육관 샌딩작업은 작년도 제가 왔을 때부터 계속 나온 얘기인데요, 상태를 봐 가면서 결정해 주시면 고맙겠습니다."

"그러면 회의 끝나고 현장을 한번 보고 결정하는 것으로 하시죠?"

교육청 팀장이 말했다.

"그렇게 합시다."

모두의 의견이 일치되었다.

"또 다른 의견이 있으면 학교 측이든 사업자 측이든 말씀 주시면 고맙겠습니다."

"네네. 저희는 운영방식에서는 만족합니다, 우리 소장님이 학교 일을 제 일처럼 열심히 해 주시고 있고요, 단지 지금 제시한 몇 가지 학교 측의 의견이 반영되기를 바랍니다."

"잘 알겠습니다. 그러면 평가표에 따른 평가를 먼저 작성해 주시고요, 바로 현장을 보도록 하겠습니다."

평가표를 다 제출하고 합산 점수가 나오기 전에 우리는 체육관을 들렀다. 마룻바닥 상태를 보고 다른 시설의 이상 유무를 육안 점검했다.

"내년에 우선 사업으로 진행하는 게 좋겠습니다."

팀장이 말했다.

"기왕이면 신학기 전인 1, 2월 겨울방학에 마치면 좋겠어요."

"그렇게 계획을 세워 보겠습니다."

학교 측 요청에 팀장이 답변했다. 평가회가 올 때마다 우리는 항상 위험 요소, 장기적 계획, 편의성, 효율성 그리고 학생에 꼭 필요한 우선순위가 무엇인지 생각한다. 또 장기적인 일과 단기적인 일 중에 가장 먼저 해야 할 것들을 정리하고 교육청과 사업 주체에 우리의 의견을 전달하고 그것이 관철되도록 노력한다. 그것은 곧 교육 성과와 학생들의 교육과정에 직접 영향을 끼치기 때문이다. 알고 보면 교육행정은 참 많은 좋은 일을 한다. 이러한 일을 함에 늘 감사하게 생각한다.

코로나19와 학교 교육

"아침은 개운한데 오후부터 저녁까지는 목이 컬컬하니 좋지 않네요?"

"네. 저도 그래요."

내 말에 사무실 이 계장이 말한다.

"그러게요, 아내도 그렇다고 하더라고요."

"요즘 코로나19가 유행하여 그렇게 느껴진 면도 있을 거예요."

"그런가 봐요."

요즘 학교는 중국 우한에서 발생한 코로나19로 인해서 비상이다. 2월 3일 개학도 2월 17일로 연기했고 2월 7일 졸업도 2월 20일 학부모 초대 없이 교실에서 이루어졌다. 다시 환자가 급증하여 교육부 방침으로 3월 9일로 개학이 연기되었다. 나라 안은 심각한 상황이다.

오늘 코로나 확진 환자는 2,200명선 사망자는 13명으로 집계되었다. 어제보다 확진자가 250명 이상 늘어난 수치다. 지난 1월 20일 첫 환자 이후 한 달 9일 만에 환자 수가 기하급수적으로 증가한 것이다.

어떤 의학 교수는 곧 환자 수가 5천을 넘을 거고 150명 정도의 사망자가 나올 것이라 진단한다.
3월 대유행기를 지나야 사그라질 것이라 얘기하기도 한다.

최근 환자 수 급증은 대구 '신천지 교회'와의 연관성이 컸다. 대구의 신천지 집회에 다녀온 확진자가 발생하고 그 집회에 거의 9천 명 정도가 참석하여 전국으로 환자가 확산하는 계기가 되었다. 특히 대구 경북에 전체 환자의 85% 이상이 집중적으로 발생하고 있다. 대부분 신천지 집회에 다녀온 사람들과 2차 3차 피해자들이다. 신천지 교회는 공공의 적이 되었다.
중요한 것은 사람 대부분이 코로나19 공포증에 시달린다는 것이다. 우리 모친은 80대 중반 연세에도 일주일이 멀다 않고 전화하여서는 "마스크 끼고 다녀라." "모이지 마라" "손 씻고 다녀라." 신신당부한다. 정작 조심해야 할 분이 어머니 당신인데도 말이다. 어머니는 작년에 폐렴과 심장 스텐트 시술하였기에 누구보다 조심해야 할 '고위험군'이다. 그래서 어머니 집을 쉽게 방문하기 어렵다. 나 같은 경우 출퇴근하고 직장 다니는데 혹 코로나19 확진 판결을 받으면 어머니가 위험하기 때문이다.

엊그제 사망자 통계 자료를 봐도 13명 환자 대부분이 폐, 심장, 당뇨 등의 기저 질환이 있고 원인이 밝혀지지 않은 사람은 한 사람에 불과하기 때문이다. 어떤 의사는 건강한 사람의 경우는 감기처럼 지나간다고 한다.
문제는 평상시 기저 질환이 있는 사람이 문제라는 것이다. 2월 초만 해도 중국의 환자 수가 가파르게 올라가고 일본의 유람선에서 확진자가 속출했다.
우리나라 대응이 좋고 중국이나 일본의 대응이 답답하게 느꼈다. 지금은 우리나라가 30여 개국으로부터 입국 금지당하고 외국 입국 절차에서 통과 못 하고 격리되었다가 돌아오는 비참한 상황을 보면서 우리 정부의 적극적인 대처와 의료계의 꼼꼼한 대응이 필요하다 생각된다. 지난번 12번째 환자의 경우 병원에 입원 못 하고 대기하고 있다가 증상이 악화하여 사망한 사례라 한다. 급박한 상황에 부닥친 환자를 병원에 안정적으로 치료할 수 있는 여건 조성이 필요하다.
텔레비전에서도 대구 지역에서 병원에 입원은 못 하고 집에서 자가격리 중인데 열이 38도 넘어 힘들다고 병원 입원시켜 달라고 자동차에 광고처럼 문구를 붙이고 다니는 영상도 보여준 적이 있다. 중국 우한 지방에 확진자가 속절없이 증가할 때 병상이 없어 입원하지 못하고 일가족 4명이 차례차례 죽어가던 내용의 편지 사연이 떠올랐다. 참 비참한 일이다.

우리나라는 제발 이러한 일이 없기를 바랄 뿐이다. 물론 우리나라 현재 상황이 중국에 비할 바는 아니다. 중국은 사망자가 2,400명을 넘었고 확진자만도 8만 명에 다가서니 말이다. 그에 비하면 우리는 적은 편이지만 최근 확진자가 중국 다음으로 많고 확진자 추세가 급상승하여 세계적인 우려를 자아내고 있다. 코로나19는 이제 아시아를 넘어 미주, 유럽까지 퍼졌다.

아직 아프리카 대륙만이 평온 지대이다. 세계적인 대유행이 아니기만을 바라고 있다. 우리나라도 지금처럼 환자단속이 안 된다면 개인 자영업자의 파산이 걱정되고 우리 수출 주력 기업의 생산성이 낮아져 우리나라 경제 성장률에 큰 타격을 입힐까 심히 걱정된다. IMF 때 우리가 겪었던 고통 분담을 다시 겪지 않을까 심히 우려된다.

이러한 가운데도 훈훈한 소식은 있다. 건물주들이 자기 건물에서 입주하여 장사하는 사람들의 월 임대료를 전액 면제하거나 30% 감면해 주는 사례가 나타난다든지, 대구 경북 지역에 집중된 환자를 진료하기 위해 일반 의사들 800여 명이 대구로 가겠다고 자원한 것들이, 국가적 위기 때마다 우리 민족이 불같이 일어나 난국을 타파했던 저력을 다시 보는 것 같아 기분이 좋다. 확진자 숫자가 하루빨리 정점에 오르고 점차 낮아지기를 소망해 본다. 하루빨리 코로나19를 정복하고 진화하여 우리 학교에서도 아이들이 이전처럼 뛰놀고 열심히 공부하는 아름다운 학교의 모습을 다시 보고 싶다. 우리 모든 교직원이 이러한 전염의 공포에서 벗어나 활기차게 토론하고 웃는 모습을 하루빨리 보고 싶다. 모두가 건강하게 이 어려움을 극복하고 세계 속에 우뚝 서는 대한민국을 보고 싶다. 오늘도 일선 병원에서 환자 진료의 최일선에 있는 의료진에게 무한 감사를 보낸다.

"실장님 찾았어요."

서류를 들추던 김 주무관이 외친다.

"찾았어요? 잘됐네요. 한 건 했어요."

지난달 학교로 김씨 문중 종친회라면서 공문이 왔었다.

학교가 김씨 문중 토지 169-1번지를 침범 불법 점유하고 있으니 사용료 등에 대하여 회신해 달라는 내용이었다. 이후 담당자와 부동산 응용 애플리케이션 앱으로 현장에 가서 확인해 본 결과 169-1번지의 일부가 점유하는 것으로 드러났다. 담당자가 인수인계 때 노트에 점유 부분에 대한 파일 목록을 확인하고 서류를 뒤져본 결과 학교가 2개 건물 7㎡와 56㎡를 점유하고 있고 이를 도면에 수기로 표시한 흔적이 보였다.

"점유한 것은 확실한 것 같네."

"그런 것 같은데요."

"그러면 경계측량이라도 한 것이 있을 텐데 그게 안 보이네."

"그러게요."

"현장을 응용 앱으로 다시 한번 보자고요."

나는 담당자와 함께 경계선에 응용소프트웨어로 확인 결과 학교가 김씨 문중 토지를 일부 점령한 것으로 보였다.

"주무관님, 침범했네요."

"그러면 이제 어쩌죠?"

"아까 그 재산 관련 공문 보니, 그 당시(2007년) 문승엽 실장님이 그 업무를 담당했으니 통화 한 번 해서 경계측량이나 관련 공문이 있는지 확인해보고, 그다음 본청 박 주무관님하고 상세 설명하고 경계측량 비용 문제를 의견 나누어 보는 게 좋겠어요."

"실장님 확인해보겠습니다."

"실장님 문 실장님하고 의논해 봤는데, 확실히 기억하는데요, 김씨 문중에서 학교가 점유한 토지에 대하여 영구토지 사용승인 합의를 해 주었고, 학교가 대신 정문을 통해 언제든 문중 산소를 방문할 수 있도록 얘기가 되었다는데요."

"그러면 그 공문을 찾아봐요, 그것만 찾으면 게임 끝입니다."

"네."

그렇게 하여 그 공문을 샅샅이 뒤지다가 문서를 찾게 된 것이다. 그때의 희열은 업무를 맡아본 사람만이 알 것이다.

"그러면 본청 박 주무관님하고도 통화하고 알려줄 필요가 있는 것 같네요."

"네. 실장님."

어렵게 복잡하게 얽혔던 사건들도 의외로 쉽게 풀리는 것을 교육청 관재계 있을 때 경험했던 바라(관재계는 교육청에서 학교 토지 매입 및 보상 등 협의를 담당), 어떤 근거와 계기를 유심히 관찰하면 해결의 실마리를 찾을 수 있음을 다시금 알게 되었다.

“실장님, 본청 담당자는 이러한 사실을 김씨 문중에도 미리 알려주는 게 좋겠다고 말하네요.”

“그럼 그렇게 마무리 짓는 것으로 해요.”

참 의외로 쉽게 풀린 듯하다.

재산 관련 업무는 무엇보다 차분하게 전후 맥락을 찾아가며 천천히 근거에 접근해야 한다. 자칫 소송 우려도 있고 금전적 이해득실의 문제가 도사리고 있기 때문이다. 신중하되 서두르지 않고 차분하며 꼼꼼하게 문제를 보는 눈이 필요하다. 김씨 문중 땅 점유는 이러한 사실을 다시 한번 확인시켜 주는 사례가 되었다. 참 감사한 하루가 아닐 수 없다.

어제는 시설 주무관과 시설과에서 대화를 나누었다.

"저번 주 교장 선생님 말씀에 의하면 젊잖으신 교사분이 교장 선생님께 와서는 시설관리실에 들어가 부탁하기가 어렵다. 시설관리실에 갑자기 급한 인쇄물이 있는 경우 인쇄 부탁을 하면 가타부타 말씀이 있어야 하는데 아무런 말씀이 없어 불쾌하다 하시네요? "

"아, 그렇게 말씀하세요? "

"인쇄물의 경우 물론 공지하신 대로 하루 전 보내 주시는 게 맞는데 지금처럼 아프리카돼지열병처럼 급한 경우는 당일 갑자기 나가는 경우가 있거든요. 그건 좀 이해해 주셔야 할 것 같아요. "

"가타부타 대답 못 한 건 죄송해요, 다음에는 가부를 확실히 할게요. 제가 성격이 워낙 소심한 편이라."

박진철 주무관이 대답했다.

"중요한 것은 서로의 오해 없는 소통 같아요. 교장 선생님은 지난번 태풍 왔을 때도 중학교는 송풍기로 낙엽을 다 치우는데 우리는 송풍기가 있는데도 왜 안 치우는지 모르겠다는 말씀도 있으셨거든요. 그리고 이번 후관 미장 떨어진 부분도 휀스 치고 나면 그 떨어진 잔재물을 치워야 하는데 안 치운다고 해요. 또 일부 선생님은 시설 주무관님들이 시설관리실에만 있지 도통 일을 안 한다는 근거 없는 말도 해요."

"네. 그건 좀 오해가 있으신 것 같아요, 그건 일부러 안 치운 겁니다. 아이들이 그 위치를 알 수 있도록요. 치우면 위험을 인식하기 힘들 것 같아서요. 그리고 일하지 않는다는 것은 좀 오버 같아요."

"아. 그러셨군요? 교장 선생님이 오해할 만하네요, 그래도 제 생각엔 어차피 라인을 쳐 놨으니 치워도 될 것 같아요. 윗분들은 그저 마무리가 안 된 것으로 오해하니깐요. 그리고 일하지 않는다는 건 좀 말이 안 되기도 하는 것 같긴 해요, 제가 교장 선생님께도 시설 주무관님들이 이번 소방 훈련 때도 벌써 플래카드 게시, 소화기 준비, 모닥불 준비, 소화전 미리 다 준비하고 훈련에 대비한다고 말했어요."

"알겠습니다."

"그리고 체육부에서는 오해도 좀 있었던 것 같아요, 지난번 제초 작업 때 체육과 부장님이 농기계로 치웠잖아요? 교장 선생님께서 말씀하기론 체육부에서 내년에도 본인 부서 일이 될까 걱정이란 얘기를 하더래요. 내년에는 우리가 처음 나올 때 관리기로 작업을 미리 하면 좋을 것 같아요."

"그럴게요, 실장님 그런데 저희도 웬만하면 아무 말도 하지 않는데 선생님 중에는 나이 있는 사람은 저한테도 자네 어쩌고 그럴 때가 있고 말도 안 되는 부탁을 하시는 분도 있어요."

박진철 주무관이 대답했다.

"물론 그렇겠죠. 그런 것은 나중에 교장 선생님과 하는 소통과 공감 설명회 때 애로 및 건의 사항으로 얘기하고 이번에는 교장 선생님의 의견을 받아들이시는 게 좋을 듯해요."

"네. 그래야겠네요."

"인원이 바뀌고 또한 전임자와 비교해서 이러고 저러고 하는 것은 안 맞다 생각해요. 사람마다 다 성격이 다르고 중요하다고 생각하는 바가 다 다르기 때문이죠. 그런데 선생님들은 그렇게 안 보는 게 문제죠."

"그런가 봐요, 저희도 최선을 다하는데요. 그래서 지난번 제초도 나름대로 계획을 세워 하는 부분들이 있거든요."

"전 어차피 우리 주무관님들과 한배를 탄 입장이니, 시설 주무관님들이 좋은 평가를 받으면 좋지만 그렇지 못하면 저도 마음이 편치는 않거든요. 그리고 올해도 제초 관련 교장 선생님께서 말씀하셨을 때 가능하면 처음에 제초하고 유사시 인력 보충해 할 생각도 하고 있어요. 가능하면 우리 주무관님들의 의견을 듣고 반영해 주려고 해요. 그러니 어려운 점이 있으면 제게 말씀 꼭 주시고요."

"알겠습니다. "

"그리고 실에서 이상이 있는 경우 연락이 오니 외부의 경우는 이틀에 한 번은 순찰하고 문제 있을 때 조치하고 돈이 들어가는 경우는 저랑 의논해 주시면 좋을 듯해요. 이런 말을 했다 해서 서운해하지 마시고요. 조금 더 적극적으로 일해 주시면 좋을 듯해요."

"네."

열심히 일하는 시설 주무관에게 이런저런 말을 전하고 교장 선생님의 의견과 내 의견을 같이 전달하는 게 아주 쉬운 일만은 아니다. 이분들이 적극적으로 일하는 환경을 조성하고 애로점을 해결해 주는 2가지 역할을 동시에 해야 하기 때문이다. 또한 교원과 일반직의 이원화된 조직 간에 의견 충돌 없이 이해시키고 공감시키며 일하여 쾌적한 교육환경 조성이란 목적을 달성시켜야 할 목적도 있기 때문이다.

교육에서의 가치 창조, 스스로 신명 나게 일할 수 있는 자율적 학교 분위기 조성, 가족애 같은 정서가 모두 충족될 수 있도록 조금 더 세심할 필요가 있다.

국군장병 위문금 모금 꼭 해야 해?

"실장님 어떻게 하죠?"

"국군장병 위문금 실장님만 내셨어요."

"그래도 그냥 보내요."

사무실에 들어오니 봉급 담당자가 난감해하며 말한다.

지난주 국군장병 위문금을 모금하고 그 결과를 교육청에 내라는 공문이 와서 나는 선뜻 담당자에게 만 원을 주면서 모금해 달라고 했다.

"실장님 작년에도 모금을 안 했는데 올해도 하지 말죠?"

"왜요? 성금을 내는 사람이 거의 없나요? "

"네."

"아, 저도 물론 국군장병 위문금을 모금할 정도로 우리나라가 못사는 것도 아니고 또 모금한 국군장병 위문금이 얼마나 잘 군인에게 전달될지도 몰라요. 단지 아들도 아직은 군에 몸담고 있고 순수한 마음으로 기부하고픈 생각인 거예요. 저는 지하철 타면 앵벌이라고 있잖아요? 왜 불쌍한 아이들 지하철에서 모금하게 시키고 그 뒤에 감시하면서 어른이 그 이익금 다 빼간다는 거, 그걸 알면서도 아이가 도와달라는 종이 내밀면 선뜻 천 원짜리 줘요. 그냥, 어려울수록 같이 사는 마음, 그냥 조건 없이 베풀고 싶은 그런 거예요."

"네. 실장님 마음 잘 알겠습니다."

그런 과정을 겪고 모금을 진행했고 담당자가 전체 메신저를 통해 모금을 독려했는데 한 분도 모금에 동참하지 않았고 달랑 나만 하게 된 것이다.

요 몇 년 이맘때쯤 되면 국군장병 위문금 공문이 올 때 학교마다 관리자 와 부장급들 몇 명 해서 7~8명 정도 기부한 것 같다. 그런데 이곳에 오니 계산적이고 이기적인 개인주의가 더 심해진 것 같다. 적어도 몇 명은 낼 줄 알았는데 말이다.

"제가 교장 선생님보고 동참해 달라고 해 볼게요."

하고는 김 과장은 교장실에 들어가 협의하는 듯했다.

"교장 선생님이 결과를 교육청에 보고도 하는데 달랑 1명 만 원이라고 보고하기는 좀 그렇다네요. 실장님도 하지 않으시는 게 좋을 것 같다고."

"네, 교장 선생님 말씀에 일리가 있네요, 그럼 안 하는 것으로 할게요."

이 세상 가치 중에 가장 큰 가치가 기부인데 달랑 국군장병 위문금 만 원으로 생색을 내려 했던 내가 부끄러웠다.

지금도 말없이 표시도 없이 정기적으로 후원하는 사람들도 많을 텐데 말이다. 얼마나 가식적이고 드러내 보이기를 선호했는지 나 자신이 창피했다. 성경에도 선한 일을 할 때는 '왼손이 하는 일을 오른손이 모르게 하라'는 말도 있는데 말이다. 얼마나 어리석음이었는지.
알고 보면 나 자신의 마음 안정, 나도 무언가 하고 있다는 위안으로 삼고 싶었던 모양이다.
이제라도 빚도 없이 드러내지 않고 정기기부를 해야겠다는 생각이 들었다. 바로 인터넷을 검색해 '월드비전'에 불우 청소년 사업으로 매달 만 원씩 정기 기부금 신청을 했다. 그런 마음을 먹은 일 자체가 참 보람 있었다.
내 작은 마음이 직접적이지는 않지만, 누군가에게 희망의 불씨를 살린다는 것이 좋았다. 젊은 시절 헌혈을 통한 도움, 어려움에 부닥친 사람에게 베푼 몇 번의 도움 손길 이후 얼마나 오랜만의 일인지 모르겠다.

사실 교육청 사무관 회장 역할을 하면서 올해 코로나19 사태만 아니었으면 사업 중에 보육원이나 양로원을 방문해서 기부를 실천할 생각도 가졌었다. 우리의 기부 문화가 돈으로만 하는 그리고 너무나도 형식적이기에 직접 몸으로 봉사하는 일을 해 보고 싶었다.
사실 마음만 있다면 식사 배식, 청소 등의 봉사활동을 할 장소는 부지기수인데 말이다.
얼마나 형식적인 기부 생각을 하고 있었으면 달랑 '국군장병 위문금'으로 내 마음을 안심시키고 나를 정작 속이고자 했던 것이었는지 반성의 마음마저 든다. 진정 이웃을 사랑하고자 한다면, 정작 조건이 없는 보시를 하고 싶다면, 내 이웃을 돌아보고 정작 그들이 무엇을 원하는지 보고 몸으로 실천하는 선행을 쌓고 싶다.
일전의 지인에 보내 준 동영상 생각이 난다.

어느 젊은 사람이 마트에서 빵을 사서 가지고 나오는데 갑자기 개 한 마리가 나타나 빵을 잽싸게 낚아채고는 도망간다. 빵을 되찾기 위해 부리나케 쫓아가는데 먼 거리도 아닌 가까운 위치 허름한 창고 같은 곳에 멈춰 선 개의 꼬리가 보여 살금살금 접근했다. 거기에는 헐벗고 손발이 없이 몸통만 있는 장애인이 개가 물어다 준 빵을 허겁지겁 먹고 있는 모습이 나온다.
'개도 그럴지언정'
진한 감동이 밀려온다. 과연 나도 개만큼 이웃사랑을 실천하는가!
나와 내 가족만 알고 지내는 것은 아닌가?
다시 한번 이 연말 국군장병 위문금 모금 과정을 지켜보면서 정작 우리 이웃에 대한 사랑이 무엇인지 반성하고 생각하는 계기가 되었다. 진정한 이웃사랑은 과시가 아니요. 따스한 마음에 있음을 말이다.
모두가 행복한 연말연시 조금이라도 아프고 외로운 이웃이 따스한 연말연시를 보내기를 소망한다.

천안함 사건과 학생수업

아침에 교장 선생님이 회의 전인데도 불구하고 급히 부르신다.

"이거 한번 보세요."

"이게 뭐지요?"

교장 선생님이 내민 글에는 교직원에게 음악 담당 교사가 보낸 메신저 출력물이 보였다. 며칠 전에 나도 보았던 내용이었다.

작금의 천안함 사건에 대한 정부 발표가 조작되었을 거라는 추측의 내용이었다.

"이런 글을 전 교직원에게 강요하며 보낼 수가 있나요?"

"그건 좀 무리가 있는 내용 같습니다."

"그것도 그거지만 어제는 학부모님한테 전화가 왔어요."

교감 선생님이 말을 꺼냈다.

"무슨 내용으로요?"

"문 선생이 음악 수업 시간에 수업은 하지 않고 천안함 사건이 북에서 한 행동은 아니며 정부에서 조작한 내용이라고 아이들에게 가르쳤나 봐요."

"빨갱이 아니냐고 그런 아이한테 어떻게 우리 아이 교육을 맡길 수 있냐고 교육청에 항의 전화하기 전에 학교로 전화했다고 연락이 왔어요."

"아 그랬군요. 수업을 해야 할 교사가 정규수업 시간에 그것도 음악 과목이 아닌 정치적인 내용을 사리 판단도 부족한 중학생들에게 가르쳤다는 것은 문제가 될 소지가 큰데요."

"그러게 말입니다. 왜 이리 일만 만드는지, 걱정입니다."

"그러면 먼저 사실 조사는 학생들을 통하여 하시는 것이 순

서일 듯 합니다."

"저도 그럴 생각입니다. 사실 조사하고 본인을 불러서 사실 여부를 확인할 생각입니다."

"그러면 그것은 그리하는 것으로 일단 보류합시다."

"네."

교장 선생님 결정으로 회의가 끝났다. 다음날 교장실에서 회의가 또 열렸다.

"알아봤더니 3개 반 정도에서 수업했어요. 2-8반에서는 천안함 동영상을 20분 보여주고 거기에 나온 어뢰 추진체의 글씨가 열에 의해 지워지는 실험도 했더라고요."

"그러니 아이들이 어떻게 생각하겠어요?"

교장 선생님이 언성을 높였다.

"물속에서의 실험과 실험실에서 물 밖에서의 실험이 어찌 같겠어요?"

과학 전공인 교감 선생님은 본인의 의견을 피력하였다.

"일단은 그 자료들을 보관하고 어제 항의한 학부모의 추이를 지켜봐야 할 것 같습니다."

내가 결론을 내듯이 말했다.

"그러면 내일 또 의논해요."

다음 날 아침, 항상 본청 교육청 홈피를 검색하고 지역청 전자민원을 검색하다가 학부모가 올린 민원 글이 눈에 띄었다. 수업 시간에 아이들을 현혹한 사회주의 교사를 파면하거나 학부모에게 사과하라는 내용이었다.

교감 선생님도 미리 그 사실을 알고 계셨다.

"제가 오늘 회의니, 교육청에 가서 알아보고 처리하는 것이 좋을 듯합니다."

신 교감은 말했다.

“네, 하여튼 원만하게 풀어가는 것이 좋다고 생각합니다.”
오후에 교감 선생님이 출장에 다녀와서는 목소리가 격앙됐다.
“교육청에서는 그 건에 대한 사실확인을 메일로 보내고 그 담당 선생님을 교육하라고 합니다.”
“그 정도 건은 감사 대상도 아니라네요.”
“그러면 이따 오후에 담당 교사를 불러 확인을 거치시죠?”
내 말에 교감 선생님은 그게 좋겠다고 말하였다.
오전 11시 30분부터 시작된 회의는 점심시간이 지났는데도 끝나질 않는다.
12시 10분경 예의 그 문 선생이 교장실에서 겸연쩍은 웃음을 지으며 나오고 뒤이어 교무부장이 나온다.
“오늘 얘기가 잘 되었어요. 본인이 다 시인했어요.”
교무부장이 말했다.
“교감 선생님이 정곡을 찔러 꼼작 못 하게 말했어요.”
“앞으로 조심하고 학교에서 원하는 대로 그 학부모가 사과를 원하면 하겠다네요.”
교감 선생님이 만면에 웃음을 지으며 말했다.
“잘됐네요.”
학교 일이 감사청구나 원망으로는 풀리지 않는 경우가 많다. 무엇보다 상대를 향한 배려와 내가 있는 위치에서 각자의 신분에서 열심히 노력하는 것이 본인의 발전과 학교의 이익을 위해서도 중요함을 다시 느꼈다.

조직 개편, 구성원의 마음이 먼저다

"과장님 이것 보세요, '의회 시정 처리 요구 관련 유의 사항 알림'이란 공문이 왔네요."

"아 그래요?"

"이번에 좀 바뀔까요? 의회서 '학교 업무 재구조화 사업과 관련하여 학교 현장의 목소리를 경청하고 행정실 조직의 업무 부담이 되지 않도록 학교 현장과 적극적인 소통을 시행하는 등 의견 수렴 과정을 거쳐서 진행할 것'을 요구했는데 본청이 받아들일까요?"

"글쎄요, 확답하기 어려운데요."

최근 학교 현장은 혼란과 갈등이다.

그것은 작년 11월 초순 무렵 학교 업무 재구조화 관련 본청 발표가 있기 전에 노조를 통해 현재 교사들이 학교 있는 업무 중 최초 30여 개를 일반직을 1~3명 배치하고 시범학교 운영 후 확대하겠다는 내용이 유출되었기 때문이다.

문제의 발단은 재구조화 관련 전담반을 만들고 운영한 후 발표한 것인데 전담반 구성에서부터가 문제였다.

투명한 과정이나 공모를 통하지 않고 노조의 추천을 받아 교육청이 일방적으로 구성한 것이다. 어느 노조를 통해 구성하였는지도 문제였다.
또한 행정실의 인원이 현재도 부족한데도 불구하고 일방적으로 교사들의 행정업무 간소화를 위해 업무분석 등에 대한 용역도 없이 교육청의 자의적 판단으로 추진하는 것도 문제였다. 본청 담당과는 관내 12개 학교의 현황을 파악하였다 하나 도내 전체 학교수가 1,000여 개에 달하는데도 불구하고 어떤 기준에 의한 것인지는 모르나 달랑 12개 학교만 조사하고 사업을 진행하려는 것에 통계 가치로써의 큰 의구심을 표시하였다.

전국 공무원 노조의 반발이 이어졌다. 본청이 시행하면 이 사업이 전국으로 번질 것을 우려했다. 장기 미래 과제로 보면 교사들이 하는 일정 부분의 행정업무는 행정실로 오는 것이 맞다. 그러기 위해서는 철저한 업무분석과 현황 파악 그에 따른 인원과 예산의 조정이 필요하다. 또한 교사들의 행정 업무 시간 파악과 그 줄어든 만치 어떠한 교육적 역량을 배가시킬 수 있는지에 대한 대안 분석도 필요했다. 그런데도 본청은 이에 대한 분석도 미래 청사진도 제시하지 않은 채 일단 해 보고 보완한다고만 한다. 이에 본청 지방 공무원을 중심으로 반발이 불길처럼 일었다.
'우리가 하라는 대로만 하는 존재가 이제는 아니다.'
'철저한 업무분석, 밀실 전담반 구성 원천 무효.'
'교원업무 일반직 전가 금지.' 등을 주장하였다.
이의 노조에서는 본청에서 해당 업무를 담당하는 과와 대화를 시도하였으나 노조의 요구는 받아들여지지 못했다.

본청 자유게시판에는 업무구조 재구조화 추진 관련 반대 민원이 도배되었다. 12월 중순쯤 되어 본청은 일반직의 의견을 무시하고 공문을 시행하였다. 20개 공모학교를 선정하고 2년 동안 운영한다는 것과 업무를 30개에서 20개로 조정하고 인원은 1~3명을 배치한다고 발표했다. 더불어 지역별 zoom 설명회를 개최한다고 공문 시행하였다. 노조에서는 본청 정문에서의 집회와 더불어 매주 수요일 촛불집회를 개최한다고 발표하였다.

현재는 촛불집회와 더불어 제2차 연가 투쟁을 병행하고 있다. 지역 고등학교 행정실장 협의회에서도 제1차 연가 집회 당시 차량비 50만 원을 지원하였다. 그것은 후배들에게 더 좋은 여건과 환경을 제공하고자 하는 선배들의 마음이 있었기 때문이다.

공무원법상 5급 행정실장은 노조원이 될 수 없었고 다만 후원자에 불과하였다. 현 공무원 노조법상 단체행동권은 인정되지 않는다. OECD 국가 중 몇 안 되는 차별조항이다. 12월 23일부터 지역별 설명회가 개최되었다. 나도 3번에 걸쳐 설명회에 참석하여 들어보았다.

본청의 입장은 교장, 교감, 교사, 행정직원들을 대상으로 시간대별 날짜를 달리하여 설명회를 개최한다는 것이다.

설명회 도중 담당 사무관에게 질문이 쏟아졌다.

"현재 20여 개 시범 사업을 한다는데 지금 공청회를 통해 반대의견이 나오면 사업을 재검토할 의사가 있느냐? 처음 사업 때 용역을 통해 그 필요성과 제반 사항을 파악해야 하는데 용역을 시행할 의사가 있느냐?" 두 가지에 대한 질의가 중요한 부분을 차지했다. 담당 사무관은 일부 반대가 있어 사업추진을 못 하면 무슨 사업을 하겠느냐, 지금 20개 사업은 절대 변경 어렵고 방법상 의견만 조정할 수 있으며 용역의 경우 1~2년대 갑자기 나온 이야기가 아니고 현 교육감 당선 후부터 나온 것을 작년 전담반을 구성하고 12개 학교를 통해 학교 현황을 파악하고 시행하는 부분으로 주먹구구식이 아니라 답하였다.

"의견을 듣고 그것을 반영하지 않는 설명회가 무슨 설명회냐? 그것은 받아들일 수 없다. 무슨 사업이든 진행할 때는 당사자들의 의견을 듣고 권위가 있는 제3의 기관을 통해 현 상태를 진단하고 사업을 추진하는데 기본인데 왜 그런 기본도 지키지 않느냐?"

질타가 이어졌다. 어떤 후배 주무관의 경우는 "지금 1~3명 준다고 하는데 소규모 학교라고 해서 그 업무가 줄어드는 것도 아닌데 인원을 학교급에 따라준다는 데 문제가 있고, 지금 교사가 수십 명이 하던 업무를 행정직 1~3명이 하는 것과 사업 담당자의 필요성과 의견이 있는 부분을 담당 부서에 일일이 몰아서 품의하고 계획을 세운다는데 대서소도 아니고 어불성설이다. 그러려고 우리가 시험을 쳐서 들어온 게 아니다"라고 분개하였다. 또한 다른 주무관은 지금 선생님이 행정업무로 아이들을 가르치기 어렵다고 주장하는데 OECD 평균으로 따져도 주당 8시간을 적게 가르치고 행정업무도 주당 5시간 소요된다고 하는데 그것 때문에 학교 수업에 어려움이 있다는 것은 이해하기 어렵고 선진국은 방학 때도 임금이 나가지 않는데 우리나라 교사들의 경우는 방학 때도 임금이 나가는 부분에 대하여 이해하기 어렵다. 무노동 무임금 원칙도 지켜지지 않는다. "선생님들 품의를 대신해 주고 시간표 대신 짜주면 교육의 질이 높아지냐? 그 남은 시간에 교사 수업의 역량을 위해 교육청이 교사들에게 주문하는 것은 무엇인가? 그냥 교직 단체의 압력에만 굴하는 또는 교육감의 편향된 정책에 읍소하는 그것은 흡사 일제 강점기의 을사오적과 무엇이 다르냐?"고 항변하였다.

교육청의 답변은 늘 포괄적이고 일반적인 답변으로 이어졌다. "우리 행정실이 이렇게 일이 많은데 새로운 업무를 할 수 있겠는가? 1~3명으로"라고 항변했으나 "못한다는 증거를 제시하면 일을 할 수 있다는 증거를 보여주겠다." 는 등 말꼬리 잡기 일색이었다. 너무나 실망스러웠다. 우리 후배들에겐 너무나도 미안하였다. 이 와중에 설명회를 끝내고 도 의회의 공문이 온 것이다. 아마도 합리적인 대화를 통하여 행정업무 재구조화는 추진하지 않을지도 모른다는 생각이 든다. 왜냐하면 관련 단체의 반발이 크기 때문이다. 만약 공모 과정에서 교사들은 찬성하고 일반직은 반대한다면 이 사업이 추진될 것인가? 담당 사무관은 분명히 말했다.

"교사와 일반직을 구분하여 공모 과정 중에 별도로 설문하겠다. 그리고 일반직이 전체 찬성하지 않는다면 추진하지 않겠다.”

과연 그 말을 지킬 수 있을까?

만약 지키지 않고 추진된다면 학교 내 민주화는 요원할 것이다. 그리고 그것은 또 다른 조직 내 갈등을 불러올 것이다. 아니 지금 추진하는 행정업무 재구조화 자체가 같은 울타리 내에서 일반직과 교원 간의 갈등을 일으키는 정책임을 본청이 인식하고 원점에서 이 사업을 재검토 추진하기를 바란다.

그것만이 본청이 ‘진정 학생을 위한 교육청’임을 선언하는 일이다.

큰아들이 생일이라 한창 문자를 하고 있는데 소장님이 얼굴이 사색이 되어 들어오셨다.

"실장님 큰일 났어요, 학생이 떨어졌어요."

"네? 어디요?"

현관을 지나 식당 앞 출입구에는 많은 교직원이 나와 웅성거리고 있었다.

식당 앞 현관 출구 밖에 학생 하나가 쓰러져 있고 교장 선생님과 보건 선생님이 학생을 잡고 있었다.

보건 선생님은 계속 119를 부르고 있었다.

"학생, 내 말 들려요. 이름이 뭐예요?"

"네. 홍석전입니다"

다행히 의식은 있는가 보다.

"어디서 뛰어내렸어요?"

"4층 화장실이요."

자세히 보니 눈과 얼굴 쪽이 피가 흘렀고 다리 쪽에도 흉터가 보였다.

다행히 머리 쪽에서 피가 나거나 하지는 않았다.

재촉하는 선생님 말씀에 대답도 곧잘 했다.

잠시 뒤 경찰이 들어왔다.

"중앙 경찰서입니다." 하고는 다짜고짜 학생에게 말을 건다.

"어떻게 된 거니?"

"아니 지금은 말 시키지 마세요, 119 치료가 먼저이니 학생에게는 말 걸지 마세요."

교장 선생님이 경찰을 제지했다.
"나중에 치료받은 뒤에 물어보세요."
나도 한마디 했다.
"네."
경찰은 마지못해 대답했다.
"119가 빨리 와야 하는데."
6분 뒤쯤 119차량이 도착했다.
바로 학생을 후송했다. 인근 종합병원으로 간다고 한다.
차량이 간 뒤에 경찰들은 남아서 4층과 3층 현장을 본다고 화장실을 둘러보고 CCTV 영상을 확보했다. 담당 선생님에게 영상을 보여 달라 요청했다.
묻지도 않았는데 경찰은 "저희는 사건에 혹 인과 관계가 있는지 그것만 확인해요.
" 한다.
순간 보니 경찰이 학생의 유언장을 들고 읽어 본다.
"내게도 보여주세요?"
교장 선생님이 말하니 경찰은 한편으로 가서 교장 선생님에게 유언장을 보여주고는 휴대전화기로 그 내용을 사진 찍고는 원본은 교장 선생님에게 준다.
나중에 교장, 교감, 학생부장, 교무부장, 나 이렇게 교장실에 앉으니 교장 선생님이 그 학생의 유언장을 내민다.
"난 아무것도 부러운 것이 없다 내가 뛰어내리지도 못하는 겁쟁이라고 무시한 너희에게 보여주겠다. 4층 남자 화장실에서 뛰어내리겠다. 죽을지 살지는 모르지만, 그리고 내가 하고 싶은 말은 내 컴퓨터 바탕화면에 적어놨다. 꼭 읽어봐라."
가슴 아픈 글이 쓰여 있었다.

담임으로부터 그 학생은 부모가 이혼하고 어머니와 거주하며 어머니가 매일 아침 등교를 시켜주었다는 말과 학생이 우울증이 있어 작년에도 정신병동에 몇 달 입원했었단 말을 들었다. 그 부모의 마음을 생각할 때 얼마나 가슴이 저미는지. 학생 처지에서는 편안하게 일상을 인지하지 못하고 다른 학생들이 자신을 무시하는 눈초리가 자신 스스로를 무한 괴롭혔을 것이란 생각과 또 왕따 된 외로움을 아이들에게 용기 있게 보여주고 싶은 것은 아니었는지 모르겠다는 생각이 들었다.

학교에서 발생하는 사안 중 가장 어려운 것이 화재와 학생 자살이다.

화재도 민 형사상의 책임이 따르는 일이지만 학생 자살의 경우도 다른 이유가 있어 발생하면 교장, 교감, 담임 선생님이 무사하지 못하다.

점심시간에 식사하면서 보니까 교장 선생님이 단 몇 시간 만에 얼굴에 피로가 쌓이고 힘든 기색이 역력하다.

"교장 선생님 힘내세요, 그래도 학생이 사망하지 않고 다치기만 해서 다행이에요. 학교에서 초동 조치도 잘한 것 같고요, 다만 학생이 다른 아이들에게 아쉬움을 내뱉으니 그게 걱정이긴 하지만 잘 해결될 거예요."

"네네."

소장님 말에 의하면 9시 10분 종이 울리고 조금 있다가 쿵 소리가 크게 났다고 한다.

나와서 무슨 일인가 찾아보려 하니 교직원들이 우르르 급식소 앞쪽으로 몰려갔고 그 학생이 이미 떨어져 있었고 그 사실을 내게도 알리려 왔다는 것이다.

그래도 학생은 생각보다 많이 다친 것 같지는 않다.

1층 나무데크 부분에 떨어져 데크가 움푹 패이고 부서졌다.

그나마 떨어지는 순간에 충격을 흡수한 모양이다.

아마 생명엔 지장이 없고 뇌, 디스크, 목 등의 이상 유무를 확인하고 검사 중이란다.
갑작스러운 학생 투신 사고로 온 직원들이 다 맨붕 상태로 하루를 지냈다. 가장 힘든 것은 그 학생 부모일 것이고 담임, 학교장, 교감, 학생부장들 관련 선생님들이다.

우리 교직원들 모두도 심란하다. 학생이 빨리 완쾌하고 그 학생의 정신적 치료가 잘 이루어져 온전한 정신을 회복하기를 바라면서 이 일로 충격받은 담임, 교장, 교감, 그리고 학생부장 선생님에게도 앞으로 더 행복하고 좋은 일들만 있기를 간절히 바래본다.
우리 아이들이 잘 꾸며진 환경에서 스트레스 없이 자신의 꿈과 능력을 한껏 펼치는 주인공이 되라고 마음으로 기도한다.
고맙다,
살아줘서, 젊은 청춘아.

제2부 학교속 사람들

선생님, 물이 안 나와요!

“과장님, 민원 답변서 김 주무관님이 작성했나 본데, 잘 썼네요.”

“그렇긴 한데 몇 군데 수정하고 있어요.”

“네, 그래요.”

지난주 국민신문고에 민원이 접수되었다고 지역교육청에서 학교로 민원 내용을 이첩하고는 교육청에 어떻게 대응할지 공문으로 회신해 달라고 쪽지가 왔다. 1.1. 일 학교에 처음 왔을 때부터 수압이 조금 약하다는 말은 들었다. 그러던 것이 학생 누군가가 민원을 제기했다.

민원 내용을 압축하면,

“지금처럼 코로나가 심한 판국에 4층까지 물이 안 나와 손도 못 씻고 대변도 제대로 보지 못 보는 일이 종종 발생한다. 또 최근에는 물에서 녹물이 나오기도 했다. 문제가 된 부분을 하루속히 해결해 주기를 바란다.”라는 내용이었다.

이에 대해 김 주무관은 초안에 다음과 같이 교육청에 회신했다.

“우리 교육에 지대한 관심을 가지심에 감사드리며 현재 직수로 사용하고 있는데 수압이 일시적으로 떨어져 4층에 물이 올라가지 않는 일들이 빈번히 발생하고 있다. 이를 바탕으로 시청에 민원을 제기한 상태이며 해결할 수 없을 시 자체 저수조에 물을 받고 부스터 펌프를 통해 수압 문제를 해결하려 여러모로 노력하고 있다."
이에 따라 시청이 보낸 업체가 일차적으로 와서 수압 관련 부분을 24시간 수압계를 부착하고 압력을 점검하였고 계량기 부분의 이물질이 있는지도 단수 후 살펴보았다. 시청에서 보낸 업체의 경우 대수용가가 일시적으로 세탁기 등을 사용하면 압력을 부정기적으로 뺏긴다고 했다. 나름대로 일리가 있는 얘기였다. 직수가 이번 같은 코로나 시대에 부응하는 일이긴 하지만 저수조를 사용하지 않고는 수압 문제를 해결하기는 어려워 보였다.

"이제 부스터 펌프, 볼탑, 저수조 청소 등을 실시해 원상복구해야 할 시점이 된 것 같아요."
김 주무관에게 의견을 물었다.

"기계실 저수조를 사용하게 되면 청소, 관리대장, 식수의 품질 등이 달라질 수는 있어요. "

"알고 있어요. 이참에 정상적으로 작동하는 게 맞는 것 같아요."

"네, 실장님."

"교육청 답변은 초안대로 보내시면 될 것 같아요."

"그렇게 하겠습니다."

"교장 선생님, 시청에서 어제도 다녀갔지만 뾰족한 방법은 없는 것 같아요. 저수조를 정식으로 가동해야겠어요."

"그럼 먼저 12일 학교운영위원회가 있으니 그날 보고사항으로 설명 부탁드려요. ”

“그렇게 하겠습니다.”

“그럼 그날 심의 끝날 때까지 베어링 교체 등을 조금 미뤄 주세요.“

“네. 알겠습니다. ”

점심 때쯤 하여 교감 선생님이 사무실에 들어오셨다.

“3학년 학생들이 물이 4층까지 올라오지 못해 정수기 물을 먹고 싶어도 먹지 못한다고 대안을 마련해 달라고 하네요.”

“어떤 방법이 있을까요?”

“제 생각엔 음식점에 쓰는 정수기 모양 물통을 임대해 갖다 놓으면 어떨까요? 큰 거로 2개만.”

“혹시 위생에 문제가 없는지 보건 선생님도 한번 불러 볼까요?”

교감 선생님 호출에 보건 선생님은 바로 오셨다.

“크게 문제가 없긴 한데 수질 검사를 받는 부분이 아니라 조금 불안하긴 합니다.”

“그럼 차라리 작은 생수를 학생부에 비치하고 원하는 학생만 나누어 주는 그것은 어때요?”

“그게 좋겠네요.”

“실장님이 교장 선생님과 의견을 한번 나눠 봐주세요.”

“알겠습니다.”

점심 먹고 교장실에 들러 사용 여부를 협의했다.

“생수 작은 것을 주게 되면 너도나도 다 달라고 할 텐데요,

그러지 말고 1.5리터 2개 정도 학급마다 사주고 원하는 학생이 따라 먹을 수 있도록 하는 것이 어떨까요?"

"그것도 좋긴 한데 학생들이 따라 먹으면 오염 우려도 있고 담임 선생님도 늘 신경을 쓸 것 같은데요?"

"어차피 책상 놓고 뒤쪽에 놓고 쓰는 데 큰 불편은 없어 보여요."

"코로나19로 오염 부담이 있어 1인당 1개씩 주는 게 좋은 것 같은데요?"

"제가 수량 계산해 보니 230명 개당 200원 10일 정도 사용하면 460,000원 정도 나오는데 큰 부담은 없어요."

"그래도 너무 낭비 같아요. 1.5리터를 고려해 보자고요, 이따 학년 부장을 부를 테니 그때 다시 한번 의논해 줘요."

"네, 알겠습니다."

우리 학교는 코로나로 인해 2년 동안은 수압 문제가 크지 않았다. 조금 나오기는 했어도 지금처럼 한순간 아예 나오지 않는 일은 없었다. 올해부터는 1.2.3학년이 전부 등교하다 보니 직수로 된 수압이 일정 시간대는 3층까지만 올라가 4층 학생이 불편을 하소연했다.

지난주에는 3학년 선생님 중에 한 분도 어려운 점과 해결책을 제시해 달라 문의도 왔었다.

교육청 시청 의견을 조합한 결과 부정기적으로 압력이 떨어지는 문제는 인근 아파트 대수용과의 일시적 사용량 증가로 발생하는 문제로 자체 저수조를 가동하는 일이 제일 중요하다 생각되었다.

나는 학생들이 불편함을 호소하는 관계로 시일이 급박하여 먼저 전 학부모에게 수압 관련으로 저수조를 사용할 계획이라는 내용에 대하여 공지하고 베어링 교체, 저수조 청소, 볼탑 수리 등을 하루빨리 처리하여 정상적인 급수를 제공하여 학부모 이해를 돕기 위해 학교운영위원회 개최 시 보고하면 되지 않겠냐 의견을 제시했지만, 교장 선생님은 그러다 위생 문제 발생 때 어려운 점이 있다. 재차 강조하시어 의견 피력을 삼갔다.
하루빨리 수압 문제를 해결하여 학생들과 교직원들이 좀 더 편한 마음으로 학교생활에 적응할 수 있도록 힘써야겠다.

항상 내 입장에서

"본 내용은 교육청의 지침에 근거한 것이며 전염병 발생 시 담임 교사의 역할을 규정하고 있는데 우리 학교 특성상 그 업무를 누가 할 것인지를 결정하고자 하는 것입니다."

올해 3월 1일 자로 우리 학교에 첫 신규교사가 된 편 선생님은 늦은 나이인 삼십 후반에 첫 교사로서의 발을 내딛기에 그 열망은 최고조에 있었다.

"요즘 안전 문제에 대해서는 더 강조되고 있으며 작년의 메르스 사태 이후 학교에서의 집단 감염에 대한 문제도 중요하다 생각합니다. 메뉴얼에도 나와 있는 부분을 최근 4년 이상 하지 않아 이를 정상상태로 돌리고자 합니다."

"그게 의무 사항이 아니라면 지금처럼 하는 것도 큰 문제가 안 될 것 같은데요."

교무부장이 말했다.

"지금 결석신고서 작성처럼 수기로 작성하여 보관하는 것은 어떤가요?"

"네 지금 수기로 저희가 그렇게는 하고 있는데 이 부분이 매뉴얼하고 맞지 않아 개선하려 합니다. 매뉴얼상으로는 업무관리 시스템상 담임이 결재하게 되어 있고 저는 협조를 해야 하는 부분으로 나와 있어요."

"그걸 여러 사람이 한다면 학급 담임의 업무가 새로 추가되는 부분이라 저 같은 경우는 보건 선생님이 지금처럼 그냥 맡아서 해주면 좋을 것 같아요."

교장 선생님이 말했다.

"제가 혼자 하기는 버거운 부분이 있습니다. 사안 발생 때 교육청에 보고할 부분들도 있고요. 어려운 부분이 있으면 행정 실무사들이 조금 도와주면 좋겠어요."
"그건 교사의 역할 부분이라 실무사들이 해야 할 성질은 아닌 것 같아요."
교무부장이 딱 잘라 말했다.
"맞아요, 여러 사람이 하게 되면 오히려 혼란만 가중될 듯해요."
교장 선생님이 맞받았다.

내 옆에 앉아있던 보건 선생님은 눈가가 촉촉해지고 말을 잇지 못했다.
"본래 담임이 해야 한다면 하겠지만 우리 혁신학교 특성상 새로운 업무를 부과하게 되면 담임들이 어렵다고 할 것이고 또 스캔을 뜨기 위해 이리저리 다니면서 시간을 허비하는 것은 바람직해 보이지 않아요."
신 부장이 하는 말은 그냥 보건 선생님이 다 해달라는 것이다. 난 약자의 쓸쓸함을 보는 듯하여 아무 말도 못 하는 보건 선생님을 대신하여 말했다.
"매뉴얼상 나와 있고 공문상 시행되어 담임의 내부 결재를 명시하고 있는데 그리하면 될 것이지 여기서 결정할 사안은 아닌 것 같은데요. 원칙대로 하죠."
한동안 정적이 흘렀다.
"그래도 선생님들 업무가 부과되지 않는 범위내에서 일 처리가 되면 좋겠어요." 5학년 부장이 말했다.
결국 법과 규정이 있더라도 그냥 보건 선생님이 혼자 맡아야 해달라는 말이었다.
"저도 이 업무를 일정 인원수에서 행정 실무사가 나누어서 하는 것은 아니라 생각해요. 일단 한 학기 해 보고 문제가 있으면 보완하는 게 어떤가요?" 교장 선생님이 말했다.

"그러면 제가 제안하겠습니다. 제가 기안 취합하되 다 모아두었다가 1년에 한 번 한 것으로 하면 어떨까요?"

1학년 부장의 제안이었지만 사실 편법이었다.

그러한 전염병 위기 상황은 1년에 한 번 오는 것도 아니고 담임의 내부 기안도 한두 건이 아닐 텐데 본래의 사안 발생 때 내부기안 하는 것과는 큰 차이가 있다 여겨졌다. 결국에는 보건 선생님이 다 하는 것으로 슬쩍 결론 났지만, 숫자가 적으면 본인의 의견 관철이 얼마나 어려운지 새삼 느껴보는 하루였다. 더군다나 규정과 원칙이 있고 당연시되어야 할 부분들도 내게 유리한 방향으로 해석하고 유도되는 교육 현실이 아쉬웠다.

언제나 원칙 있는 기초위에 학교 행정이 제자리를 찾을는지 생각해보게 된다.

혁신학교 성장 나눔의 날

지난주 12일은 혁신학교 중간 발표를 하는 날이었다. 일명 '성장 나눔의 날' 행사다.
혁신학교 중간 발표는 혁신학교로 지정되어 4년간 운영하는데, 중간 해인 2년에 평가하여 혁신학교 운영 여부를 점검하는 것이다.
도내 혁신학교에 관심이 있는 학교, 학부모, 교육청 장학사 등이 참석하는 큰 행사다.
점심 먹고 한창 결재하고 있는데 운영위원회 부위원장이 들어왔다.
"안녕하세요? 실장님."
"어서 오세요, 오늘 성장의 나눔의 날 행사 때문에 오셨군요?"
"네."
"교장실로 가시죠?"
"아니에요, 다른 학교 교장 선생님들이 많으셔서 불편해요."
"그럼, 이 자리로 앉으세요."
차를 한잔 마시고 있는데 운영위원장님도 오셨다.
"오늘 교장실로 오라고 메시지가 왔는데, 가보니 손님이 너무 많아 행정실로 왔어요."

"잘하셨어요. 여기 앉으세요. "

"근데 실장님 오늘 어떤 이야기를 주고받는지 몰라서요?"

"아, 무슨 내용으로 오라는 안내가 없었나요?"

"네."

"안내가 갔으면 더 좋을 걸 그랬네요."

나는 계획서를 보여주었다.

"학부모님 4분은 학부모 처지에서 학교 교육에 참여하는 방안에 관한 내용이네요."

"아, 네 고맙습니다."

"이제 2시가 돼가니 시청각실로 가시죠?"

학부모님을 안내하여 식장으로 들어갔다.

"바쁘신 와중에도 우리 학교 '성장 나눔의 날' 행사에 참여해 주신 내외빈 교직원께 감사의 말씀 드립니다. 지금부터 성운 고등학교 성장 나눔의 날 행사를 시작하겠습니다."

혁신 부장이 인사말을 했다.

교장 선생님의 인사에 이어 혁신 부장의 브리핑이 계속됐다.

"먼저 그동안의 우리 학교 운영 과정 영상을 보도록 하겠습니다."

영상에는 그간의 민주적 학교 운영에 대한 성과 및 고민, 학생 자치 활동 운영 현황, 전문적 학습 공동체 등 각종 연수, 교육과정 토론 및 다양한 학생 체험 등을 보여주었다.

약 10분간의 운영성과에 대한 말을 마치고 혁신부장의 안내가 있었다.
"분임 별 주제대로 토의하시고 다시 4시에 이 자리에 모여서 분임 발표 및 총평하도록 하겠습니다."
우리 6분임은 교육여건 및 효과적인 교육활동을 위한 지원방안에 대한 건이었다.
장소를 이동하여 2학년 6반 교실로 들어갔고 그 교실에서 약 1시간 동안 열띤 토론이 이어졌다.
우리는 내부 교직원 14명으로 구성되었지만, 학교 내외부의 안전 문제에 관한 토론을 이어갔다.
"제 나름대로는 3가지 영역 즉 시설 노후로 인한 위험하고 불편을 해소 방안, 학생 교직원 복지증진을 위한 방안, 교과별 수업자료 및 산출물의 별도 장소 보관에 중점을 두어 토론해 주시면 고맙겠습니다."
6분임 담당인 안전복지부장이 토의 방향을 설정해 주었다.
우리 분임에는 나 말고도 행정실 직원 2분이 더 참여하였다. 시설 노후로 인한 위험하고 불편함으로는 수돗가 및 기숙사 옆 통로 오르막길 그레이딩 훼손으로 인한 보수, 또한 이번 기술 평가 때 학생들이 제안한 후관동 올라가는 계단 손잡이 설치, 교직원 의견으로 본 교무실 2학년부 가는 쪽 파티션 설치, 후관동 교직원 화장실 확보, 체육관 방송시설 교체 및 간이 의자 구매의 건이 제시되었다.
"그레이팅 보수는 무엇보다 필요하다고 생각합니다. 학생 안전과 직결되어 있어서요, 계단 손잡이는 여름방학 중 계단에 차양막 공사를 하는데 견적을 받아보고 가능하면 설치하고, 교무실 파티션 설치는 2020 본예산 확보로, 후관 교직원 화장실은 다행히도 겨울방학에 교체 예정이 있어 설계할 때 반영토록 하겠습니다, 또한 방송시설은 2020 대응지원 사업으로 교육청에 신청하고 사업 확정시 체육관도 설계에 넣어서 시행하면 될 듯합니다. 간이 의자는 추경을 통해 예산확보 노력을 해 보겠습니다."

"역시 실장님이세요."

"2학년 부장님이 엄지를 치켜세운다."

"모든 게 다 예산이 수반되는데 현안 사업, 지역 여건 사업개선, 대응지원사업 등 다양한 통로를 통한 예산을 확보할 생각입니다"

두 번째 영역인 학생과 교직원의 복지증진을 위한 방안으로 학생들 탈의실 및 샤워 시설확보, 남 교직원 탈의실 및 서고 부족이 토의되었다. 개선방안은 내가 제시했다.

"탈의실 및 샤워 시설은 본관 1층서 4층까지 층별 하나씩 있고 현재 창고처럼 사용하는데 일부라도 정리, 보수하여 학생 공간으로 활용하면 될 것 같습니다. 또한 활용도가 낮은 회의실을 탈의실이나 서고로 활용하면 좋겠습니다."

세 번째 영역인 교과별 수업자료 및 산출물의 별도 보관장소 설치에 대해 특별실이 있는 교과는 특별실을 활용하고 특별실이 없는 교과는 2층 특별실을 정리하고 캐비닛에 비치하도록 의견을 모았다.

"잠시 후 4시부터 분임 토의 발표 및 총평이 있겠습니다. 모두 모여 주시기 바랍니다."
방송 안내에 따라 시청각실에 들어갔다.
1분임을 시작으로 6분임까지 발표가 자연스럽게 이어졌다. 4분임 발표에서는 학부모회 임원이 학부모가 학교 참여 방안에 대해 발표도 하였다. 6분임도 우리가 토의한 내용들을 발표하였다.
"모두 고생하셨습니다. 우리 학교에서 서로 머리를 맞대 토의한 내용들이 조금이라도 현장에서 도움이 되었으면 좋겠습니다."
"모두 조심히 돌아가시기 바랍니다. 감사합니다."
혁신 부장의 안내로 모든 행사가 완료되었다.
많은 분이 온 것은 아니지만 내부적으로 교직원들의 혁신학교에 대한 새로운 인식과 자기반성, 2년 동안의 성과를 살펴볼 수 있는 계기가 되었고 학부모와 다른 학교도 색다른 토의 체험을 통해 성운고의 교육 성과를 배워가는 좋은 계기가 되었다.

학생들의 놀이터, 포토존

"벤치 의자(포토존)가 좀 비싸긴 하네요? 660만 원이면 적은 금액이 아니네요?"
어제 들어온 포토존 겸용 벤치 의자를 둘러보고 와서는 과장님께 말했다.

"그래도 아이들에게는 그 가격 이상 값어치가 있을 거예요."

"그런가요?"

"그럼요, 학생들이 축제, 졸업앨범 촬영, 졸업식, 입학식 등에 다양하게 활용할 수 있죠."

"저도 그렇게만 된다면야 제일 좋죠."

"어제 운영위원들도 둘러보고서는 엄청 좋다고 하더라고요, 기념사진도 찍었어요."

"당연하죠, 봄에 장미 피면 제가 주변 학교에 엄청나게 자랑할 거예요."

"네네, 장미 피면 환상이죠."

작년 학생들을 위한 장미 아치를 아담하게 설치하고서는 그 주변을 특색있는 공간으로 재구성하면 좋겠다고 생각했다.
마침 과장님도 비슷한 생각이어서 학생들을 대상으로 장미 주변에 좋은 문구를 공모했다.
1.2학년 아이들 여러 명이 응모했는데 심사를 거쳐 세 작품을 선정하고 상품권도 줬다. 아이들 작품도 의미가 있었다. 장미 아치 아랫부분 화단에 스카시로 해당연도, 학년, 성명을 적어 아이들에게 자부심을 품게 했다.
차후라도 이렇듯 학생들과 함께 만들어 가는 학교를 구현하고 싶다.
교무실에 갔는데 연구부장이 반색한다.
"실장님 이번 벤치 의자 너무 예뻐요. 색상이 참 좋은 것 같아요?"
"네네. 좋죠."
"아이들이 좋아하겠어요."
"부장님이 위치에 대한 아이디어를 주셨잖아요?"
"그러긴 했죠."
지난번 벤치에 대한 아이디어를 내면서 연구부장님 의견을 들었다. 처음엔 장미 아치 옆 기존 벤치를 떼고 그 자리에 포토존을 설치하려 했다.
그런데 아치를 중심으로 포토존이 나오는 건 어떠냐는 아이디어에 흔쾌히 승낙했다. 지금 생각해도 참 좋은 생각이다. 아치를 중심으로 바로 뒤에 학교 영문 네 글자가 나오는 것은 정말 신의 한 수다. 그리고 그 글자 색도 참 좋은 것 같다.
특히 u는 연한 살색으로 볼수록 매력적인 자태를 뽐낸다. 부디 우리 아이들이 이 벤치와 더불어 앉고 쉬고 사진 찍고 대화하며 꿈을 키워가기를 고대한다.

처음에 포토존을 설치하려 할 때 큰 고민을 했다. 기존에 나와 있는 조형물들은 동물, 과일, 사람 위주의 조형물들이 거의 다였다. 그리고 그 가격도 비쌌다.
몇 날 며칠을 포토존을 염두에 두고 인터넷을 뒤졌다.
한 열흘 만에 관련 업체 사이트를 봤는데 주로 관공서 납품이 많았고 작품도 다양했다. 그중에 놀이시설을 배경으로 작성한 spark라는 빨간색 벤치 의자가 맘에 들었다.
"혹시 사장님 전자 계약은 되는지요? 그리고 우리는 학교 이름 네 글자를 영문으로 하고자 하는데 가격은 어느 정도나 나오나요?"
"네. 전자 계약할 수 있고요. 한 글자에 150만 원 정도 해요."
"아. 네. 그럼, 시안을 예쁘게 해서 함 줘보세요, 포토존 기능도 하려 하거든요, 그리고 설치 위치도 보내드려 볼게요."
"네네."
그렇게 해서 받은 그림은 너무 색이 강하고 선명했다.
"사장님 색을 파스텔 계통으로 구성해 주세요. 학생들이 좋아할 만한 디자인 부탁드려요."
몇 번의 시안이 오가고 수정을 거쳐 지금의 디자인이 탄생했다.
"안경이 참 인상적이네요. 학생들이 좋아할 것 같아요"
"네네. 교장 선생님, 전 처음에는 안경이 떨어질까 봐 걱정했는데 업체서 강력하게 추천하길래 했는데 하길 잘했네요, 훨씬 팩트가 있어요."
시안을 보니 색도 세련되게 잘 제작되었다.
더군다나 조형물이지만 아이들이 4명 정도는 앉을 수 있게 만들어졌다. 재료는 FRP지만 자동차에 쓰는 페인트로 분체도장 하여 색도 거의 영구히 변하지 않게 잘 만들었다.
"학생들이 앉는 용도로만 사용한다면 10년 이상은 사용할 수 있을 거예요."
"감사합니다, 잘 사용토록 하겠습니다."
설치 납품 완료하는 사장님께 감사 인사를 드렸다.

이렇듯 우리 아이들이 잘 만들어진 환경 속에서 꿈꾸고 행복해하는 날이 빨리 왔으면 좋겠다.
코로나로 인해 학생들이 올해도 학년별로 나오겠지만 포토존을 보고 아이들 마음이 밝아지고 행복감을 느낀다면 이보다 더 기쁜 일이 없을 것이다.

나중에 졸업한 뒤라도 고등학교하고 생각하면 이 아름다운 포토존 겸용 벤치가 기억났으면 좋겠다. 오늘도 우리 학생들의 밝은 미소를 그려보면서 내 스스로에게 말해본다.
"참 잘했어, 아이들을 위해 참 좋은 일을 한 거야."

교직원이 하나가 되는 날 직원 연수

"계장님. 이번에 교직원 연수를 함께 가도록 해 봐요."
"일이 많아서 못 갈 거 같아요."
"무슨 일이 그렇게 많은데요?"
"예산과 보고 문서 때문에요."
"계장님 예산안 맞는 것은 제게 주면 2시간이면 맞출 수 있어요. 그리고 그리 급한 일도 아닌데요. 보고 문서도 2월 6일이니깐 아직 시간이 많은데요. 다른 이유가 있는 것은 아닌가요?"
"사실 아는 분도 없고 재미가 없을 듯해서요."
"우리 행정실 직원도 다 참여하니 같이 한번 가도록 해봐요."
"생각해 볼게요."

2013학년도를 마무리하며 우리 학교 전 교직원을 대상으로 하는 교직원 연수가 지난 1.24~25일 1박 2일간 강원도 평창에서 있었다.
내가 심계장에게 연수를 고집하는 이유는 첫 발령을 받은 학교에서 더군다나 공무원 생활 초창기에 전 직원이 참여하는 연수에 불편해하고 소극적으로 해서는 앞으로 있을 수많은 연수에 적극적으로 참여하지 않고 후퇴하는 시발점이 되지 않을까 우려한 탓이다.
물론 연수라는 것이 늘 즐거운 것만은 아니지만 그래도 전 직원이 같이하는 자리인 만큼 허심탄회하게 모든 일을 흉금 없이 털어놓을 수 있는 자리다. 그걸 통해 더욱 인간적으로 가까워질 수 있는 기회가 되기도 한다.

"실장님 이번에 연수를 가기로 했어요."
그다음 날 계장이 문자가 왔을 때 그래도 다행이란 생각이 들었다. 이번 연수를 통해 부담감을 많이 해소하기를 바라기 때문이다.

"지금부터 2013학년도 우리 강남초등학교 교직원 연수를 시작하겠습니다."
상조회장의 활기찬 멘트로부터 우리의 연수 일정은 시작되었다. 원래 참여하기로 했던 46명보다 현저히 줄어든 39명으로 출발하였지만, 상조회장의 의욕은 넘쳤다.
눈치 게임을 통해 팀 구성을 하는 부분이 기존의 학년 단위로 구성되어 행정실은 당연히 7과로 교장, 교감, 영양사, 비정규직원, 기타로 구성되는 것이 보통이었는데 게임을 통해 자연스러운 팀 구성을 하는 방법이 창의적이었다. 팀 구성에 따라 눈치 게임을 하고 그 게임에 따라 식사와 간식비용을 배분하는 것도 재미있는 아이디어였다.
이를 통해 팀원 간에는 일체감과 단합심을 길러주었고 맛있는 음식도 팀원끼리 공유하여 더 알찬 분위기 만드는 데 일조한 것 같다.
연수 장소에 도착하여서는 송어잡이, 눈썰매타기, 사륜구동차, 얼음에서의 놀이시설 이용 등을 통하여 흥미를 돋을 수 있었다.
송어잡이에서 우리 전 직원이 잡은 4마리 중 내가 2마리를 잡는 쾌거를 이루었다.
"눈먼 송어가 집 나왔다가 실장님에게 걸렸네요. 하하."
교장선생님은 부러운 눈초리를 보냈다.
"어떻게 다른 사람은 1마리도 못 잡는 송어를 실장님은 2마리나 잡아요? 대단해요."
교감 선생님은 나를 치켜세우느라 분주하셨다.

우리는 잡아 온 송어를 회를 떠서 먹기도 하고 매운탕에 얼큰하니 소주 몇 잔을 기울이기도 했다.
저녁의 삼겹살 바비큐와 한우 불고기 파티는 흥을 돋우기에 충분하였다.
내가 속한 우리 7조는 연신 '화이팅'과 '부라보'를 외쳤다. 삼겹살이 돼지고기가 아닌 소고기 맛이 났다.

그날 저녁 나와 교감 선생님은 한방을 사용했다.
"교감 선생님, 지난번에 교감 선생님이 좀 서운했을 것 같아요?"
"네, 왜요 제가 서운하긴요?"
"지난번 인사기록 발령 대장 기재 문제로 좀 서운하셨을까 봐서요? 저는 제가 온 이후로 우리 행정실 일해놓은 것을 보니 잘 안 되어 있고 교무실을 보니 미진한 부분이 있어 챙기려고 했던 부분인데 어찌 보면 교감 선생님 일에 관여한 듯해서요. 잘 이해해 주세요."
"아, 저 그런 것 없어요, 안심해요."
"네, 그리 이해해 주시니 고맙습니다."
연수는 이렇듯 혹 서로의 상처가 될 수 있는 일들을 치유하는 역할도 하는 것 같다.
그다음 날 아침부터 비가 부를 부슬 내렸지만 우리는 무사히 연수를 마칠 수 있었다.
"1박 2일의 연수가 짧은 기간이었지만 모두가 행복한 추억으로 남았으면 좋겠다."라는 교장 선생님의 말씀처럼 누군가의 희생으로 일궈낸 연수가 모두에게 즐거움의 기회였기를 나도 바랬다.

애벌레, 니가 왜 거기서 나와

"실장님, 잠시 말씀을 나누면 좋겠는데요?"

"네. 들어오세요, 부위원장님."

식사를 마치고 교감 선생님과 커피를 한잔하고 있는데 운영위원회 부위원장이 할 말이 있다고 들어왔다.

"무슨 일이신데요?"

"행정실 민원이에요."

"말씀하세요?"

"어제 급식에 벌레 나온 얘기는 들으셨죠?"

"네. 들었어요."

"근데 아이들 말로는 그 말을 꺼냈을 때 행정실에서 그냥 덮고 넘어가라 말했다고 해서요?"

"누가요?"

"제가요."

그때 옆에서 얘기를 듣고 있던 안 이슬 선생님이 얼굴이 빨게지면서 말했다.

"왜 그런 말을 했는데요?"

"학교도 복잡한데 조용히 처리하는 데 좋을 것 같아서요."

"아 그건 아니죠. 아이들 의견도 중요한데, 앞으로 학생들이 얘기할 때는 존중하고 잘 들어야 해요, 그리고 문제 있다고 생각하면 제게 꼭 얘기해주고요."

"알겠습니다."

"아이들은 자기들 의견이 받아들여지지 않고 일축되는 느낌에 불만이 있었나 봐요?"

"아. 그렇겠네요."

“그래서 전화로 말해도 되지만 와서 말씀드리는 게 오해도 없을 것 같아서 왔어요.”

잠시 뒤 곽 주무관이 전화를 받더니 학부모가 급식 애벌레 건으로 영양사와 통화하고 싶다는데 영양사가 지금 없어 어떻게 해야 할지 모르겠다고 했다. 나는 전화를 끊고 연락처를 받아 영양사님께 연락하도록 조치했다. 잠시 뒤 영양사가 전화가 와서는 그 부형이 급식 애벌레 건은 이해된다고 말하며 행정실에 전화하겠다고 말했다 전한다.
주말이 지나고 월요일이 되어 부위원장 전화가 왔다.
“실장님, 그 부형이 영양사와 잘 얘기했고 행정실에도 전화해 초기 대응 문제를 거론하겠다고 말했어요.”
“알겠습니다.”
종일 학부모 전화를 기다려도 연락이 없었다.
그것은 영양사님의 해명과 학교 측이 알아들을 수 있도록 학생들과 상담한 부분에 대한 이의가 없기 때문이라는 생각이 들었다.
“실장님, 그 이의를 제기한 학생들을 불러 급식소 애벌레 나온 것에 대한 학교 처리 방침과 행정실 직원이 잘못 말한 부분에 대하여 사과하면 더 좋을 것 같은데요.”
잠시 뒤 부위원장이 전화했다.
“네네. 제가 한번 학생을 만나 학교 처리 방침과 학생들의 오해한 부분을 직원을 통해 사과하게 시킬게요.”

다음날이 시험이고 점심을 먹으러 가야 해서 오늘 약속을 잡았다. 오전에 영양사님을 통해 어떤 조치를 했는지 확인하고 학생들의 오해 부분도 청취했다.
업체에는 사유서 제출을 요구했고 그 학생들에게는 당시 업체에 건의하겠다 말하고 학생들이 더 필요한 게 있는지 물어보았다. 결국 아이들 의견을 존중하는 것이 해결의 실마리임을 알게 되었다. 점심 식사 후 학생들 4명이 왔다.
교장실에 학생들과 함께 들어가 영양사님이 준 본인 사유서와 업체 사유서를 첨부하여 학생들에게 설명하고 학교 측의 노력에 관해 설명하며, 안이슬 선생님에게는 학생들에게 의견을 신중히 듣지 못함을 사과토록 하고, 아이들에게도 이제 됐는지 물어보고 또 다른 의견이 있는지도 물어보았다. 또한 향후 어떤 의견이든지 제안해 오면 신중히 들어주겠다 약속하고 학생들을 돌려보냈다.
이렇듯 학교 일은 작은 일 하나도 학생들과 학부모에게 파급효과가 크다는 것을 다시 한번 실감하였다.
늘 학생, 학부모가 소통하는 민주적인 학교 문화를 만드는 데 노력해야겠다.

연수, 내 목마름을 채운다

지난 6월 4일과 7일에는 화성 YBM 연수원에서 진행하는 5급 정책 리더십 연수를 다녀왔다.
오랜만에 대면과 비대면이 섞여 있어 조금 수월한 면이 있었다. 사실 이 과정에 매료된 것은 다른 과정과 달리 도서를 3권이나 주고 스피치 관련 연수도 포함된 점이 좋았기 때문이다. 독서를 좋아하는 편인데 책까지 선물로 주고 그에 관하여 이야기한다는 것이 마냥 즐거웠다. 먼저 도서 서평을 미리 작성하고 연수에 참석하게 되어 있었다.
연수생은 55명으로 나는 <90년대 공무원이 왔다>, <2030축의 전환>, <공공조직의 리더십> 세 권 중 <2030축의 전환>에 대하여 서평을 쓰기로 하였다.
2030년이면 달라지는 사회상과 그에 대비해 우리가 해야 할 대비와 역할에 관한 내용으로 현대 사회를 살아가는 데 꼭 필요한 내용이었다.
단체 카톡방에는 서평이 올라오기 시작했다.
그런데 아쉬운 것은 서평이라면 그 글의 내용을 요약하고 책에 대한 개인의 의견을 적는 것인데 그 많은 사람이 글의 내용 요약은 없이 [무엇을 느꼈다]로 맺는 글을 보면서 "왜 다들 서평을 안 쓰고 독후감을 쓰는지?" 의아했다.
더군다나 취합 받는 진행자도 잘못된 부분에 대한 설명 없이 서평 자체가 고마운지 '그냥 잘 썼다' 일색이었다.
약간의 실망감이 왔다.

드디어 6월 4일 차를 몰고 화성으로 향했다.

이른 아침이라 가다가 편의점에 들러 원두커피를 한잔 마셨다.
연수원에 도착하니 입구에서 방역 체크와 강의 장소 내 거리두기도 잘 준비되어 있었다.
몇몇 아는 얼굴들이 눈에 보였다.
“오랜만입니다.”
“실장님 여기서나 보네요?”
“그러게요, 코로나 때문의 청에도 못 들어가니.”
교육청 경영지원과장도 참석했다.
그 외에도 같은 지역에서 근무했던 4~5명과 사무관 발령 동기 2명도 같이 인사를 했다.
모처럼의 대면 교육이라 남다른 점이 있었다.
주최 측에서 준비해준 생수를 마시며 강의 시작을 기다렸다.
첫 교시는 핵심 교육 정책에 대한 일반 이론이었다.
정책담당관이었던 감사과 부패 방지 담당관이 자리했다.
일반적인 특별교부금 배정 기준 등에 설명하고 지역교육의 어려운 점에 대하여 질의 응답하는 시간을 가졌다.
“지난 12월 31일 자 교육청 공문에 따라 지금까지 세 외에서 보관하던 상조회비 등 개인 공제회비를 걷지 말라고 공문 시행했다가 어떤 이유인지 모르겠지만 잠시 보류하고 하던 대로 하라는 메시지는 왔는데 그러면 향후엔 공제해야 하나요? 아니면 공제하지 않아야 하나요?”
요즘 가장 현안으로 시끌벅적한 일이기에 학교에서도 상조회비를 봉급에서 공제하지 않고 개별적으로 걷게 되면 여러 어려운 부분이 있기에 질의하였다
학교 현장은 점점 개인주의적인 사고가 증가하는데 상조회가 유지되기 어려운 부분이 있었다.
작년 아버지 상을 당했을 때도 상조회를 중심으로 부조도 하고 여러 명이 방문하여 ‘아, 내가 학교에 몸담고 있지’라는 생각이

들었고 다른 가족분들이 보기에도 내심 떳떳한 부분이 있었는데 만약 상조회가 없어진다면 개인 자격으로 친한 몇 분들만 오고 할 텐데 학교 이미지도 좀 작게 느껴지는 것은 나의 너무도 보수적인 생각인가?
하여튼 그걸 떠나 가능 여부가 궁금했다.
"네. 그건 제가 아직 상황 파악을 못 해서요, 그렇게 공문 시행이 된 건가요?"
"네네. 지난 12월에 공문 시행되어 학교가 약간 어려움에 있거든요?"
"네, 제 생각엔 일부 사립의 경우 재단에서 보수에서 공제된 보관금을 가지고 불법으로 유용하거나 공제하지 말아야 할 부분을 공제하는 사례가 있어 그런 제도가 도입된 것 같아요."
"공공기관을 통제하기 위한 목적은 아닌 것으로 알아요."
"아. 네. 잘 알겠습니다."

1교시 후 점심을 먹으러 다른 직원들과 함께 지하 구내식당으로 갔다.
거리두기로 4인석마다 한 사람만 앉도록 배치했다.
식사와 반찬은 가짓수가 너무 많았다.
국, 후식을 빼도 순수 반찬만 5가지나 되었다.
"좀 과한데? " 혼잣말했다.
자율 배식이면 먹고 싶은 것만 조금 가져올 텐데 직접 배식해 놓은 관계로 가짓수를 줄이지 못했다.
다 먹느라 무리수를 두었다.
식후 인근 저수지 근처를 예의 박 실장님과 그 외 2분과 함께 커피를 들고 산책했다.
"오랜만에 느껴보는 자유예요."
"그러게요, 매우 좋네요."

"그러게요, 대면 교육을 자유롭게 할 수 있는 날이 빨리 왔으면 좋겠어요."
"저도요."
다들 합창했다.
오후 강의는 25년 전국적으로 시행되고 본청은 22년도부터 의무적으로 시행하는 고교 학점제와 연관된 학교 공간 재구조화에 대한 강의를 들었다.
현재 40년 이상 된 건물은 전면 재건축하고 40년 미만은 리모델링하되 학습공간, 쉼 공간 등을 분리 학생 위주로 설계한다는 내용이었다.
앞으로 전개될 고교 학점제가 원활히 될 수 있도록 학습자 중심의 안전하고 쾌적한 환경 구축에 매진해야 하겠다는 생각을 다시 하는 좋은 시간이었다.

6.7일에는 줌으로 강의받았다. 노트북으로 강의하는데 오전에는 '씽킹 디자인'에 대한 내용으로 정책 입안 시 생각을 디자인하는 것에 대한 색다른 강의였다.
어떤 상황이나 현실을 어떤 면으로 다양하게 보는 연습을 통해 가령 장애인의 눈높이로 어려운 현실 문제를 해결하는 과정을 보여주는 장면이나 각 소분임 별 소회의실로 들어가서 각자 제시된 주제에 맞게 자기 의견을 피력하는 것도 색다른 경험이었다. 나의 경우는 아침 출근길에 어떤 상황을 겪고 그 상황에 무슨 생각을 하며 정책적으로 또는 감정적으로 변해야 할 부분에 대해 인터뷰 방식으로 주고받는 내용이 좋았다. 나는 인터뷰 상대방이 되어 두 사람의 질의에 각각 4분씩 답변하고 그 나머지 팀원은 내 의견을 듣고 느낀 바가 무엇인지 서로 토의하듯이 하는 수업방식이었는데 생동감 있고 괜찮았다. 점심 먹고 오후에는 스피치 시간으로 아나운서 출신 강사가 '자기 소개법' '말하는 방법' 등에 대해 이론을 설명하고 돌아가면서 각자 의견을 발표하는 시간을 가졌다.
주로 강조한 것은 평소 말하기의 1.5배 이상 느리게 말하고 축약식을 사용하고 강조할 앞 단어에 힘을 주는 것과 강단을 분명히 하라는 부분에 대하여 비슷하게 했다. 강사가 '폭풍 칭찬'을 했다.
본인이 가르쳐준 대로 천천히 강약 주고 장단을 주어 잘 말했다고 칭찬했다. 다른 사람에 비해 지적이 없었다. 참 뿌듯했다. 대면과 비대면을 섞어 하는 강의는 자칫 집중력이 떨어지고 지루해지기 쉬운 연수에 활력소가 되었다. 오랜만에 색다른 강의 분야도 우리의 '지적 호기심'을 충족시키기에도 충분하였다.
빨리 대면만으로 이루어지는 코로나19 없는 세상을 꿈꾸어본다.

운영위원회 어떻게 구성해요?

“걱정이네, 운영위 때문에?”

“왜, 뭐가 문제인데?”

“글쎄 지난 4일 출근 했더니 운영위원 한 분이 접수하려고 기다리고 있어, 조금 있다가 4명이 추가로 와서 정원이 다 찼네?”

“어 그래, 아직 접수 기간이 남았잖아?”

“3월 3일부터 3월 10일까지 5일간이거든? 이제 더 안 와야 하는데 걱정이네.”

“아, 아직 시간이 많이 남았네, 편하게 생각해 접수 넘치면 투표한다 생각해.”

“그래야 하는데 다른 일도 바쁜데 말이야 언제 준비해.기도라도 해야겠어.”

“아마도 첫날만 오고 오지 않을지도 모르지?”

“그럼 좋겠어.”

3월은 학교마다 학교운영위원회 선출로 바쁘다.
2월에 구성계획을 세우고 3월 2일부터 홍보 4일쯤 공고 나가고 10일 전후 접수하고 12일 공보 17일 학부모 총회 때 선출

25일 정도 지역위원 선출 4월 15일 이전 첫 회의까지 일사불란하게 이루어져야 한다.
문제는 학부모 위원 정원이 넘으면 투표해야 하는데 전자 투표와 더불어 직접 투표도 병행해야 해서 바쁜 3월 일정에 큰일이 아닐 수 없다.
"일단 전자 투표 신청서는 선관위에 제출하는 게 좋아, 어찌 될는지 모르니깐."
"알았어."
집사람 학교가 오늘이 마감일인데 나도 더 이상 등록자가 오지 않기를 기도해 본다.

아침에 사무실 출근하니 과장이 물어본다.
"실장님. 어제 등록한 사람은 없나요?"
과장은 어제 출장하였다가 오늘 출근했다.
"네 없어요. 그제까지 2명 접수했다면서요?"
"6명 정원인데 오늘 2시까지예요."
"그래요, 두고 보면서 접수를 기다려 봐요."
"일부 학교는 넘쳐서 선거한다는 곳이 있어요."
"네네. 그런 것보다는 나은 것 같아요."
오후 2시경 되어 다행히도 4명이 추가 등록해 정수를 채울 수 있었다. 운영위원회 학부모 위원 선거는 참 힘들다. 3월에 어떤 분들이 오는가가 중요하다. 그분들 성향에 따라 학교 분위기는 완전 달라지기 때문이다.

‘인사가 만사’란 말은 직원에게만 쓰이는 말은 아니다. 학부모도 마찬가지인 것 같다.

학부모가 너무 적극적인 경우도 힘들다. 2017년도의 신정중 운영위원회의 경우 당시 정원 6명에 15명이 접수했다가 최종적으로 9명이 경선해 6명이 운영위원으로 확정되었다. 그런 만치 학부모들의 요구도 거셌다. 도의원이나 기초위원을 불러들이는 것은 물론 현안 사업이나 특별교부금 사업도 깊이 개입해 학교나 교육청 경영지원과장을 힘들게 했다. 회의하다 말고 교육청 과장님께 전화해서는 압력을 행사하기도 했다. 얼마나 민망하던지.
기말고사나 중간고사 학부모 감독을 오는 경우 학부모회장이나 운영위원들도 방문하기에 인사차 올라가 보는데 “실장님이 오시는 건 아닌 것 같아요, 우리가 부담되어서요.” 한다는 말도 들었다.
교문에서 어쩌다 하는 캠페인에 같이 참여해 서 있으면 “왜 서 있느냐?”는 둥 하는 모습에 오만 정이 떨어지기도 했다. 교장 선생님은 학부모들이 오는 경우 웬만하면 가지 않는 게 좋겠다고 부탁했다.
“실장님, 학부모들이 교장이 실장에게 휘둘린다고 말들을 해요. 학부모 모임 등에는 안 가는 게 좋겠어요.”
“네네.”
물론 그 이후엔 가보지 않았지만, 신정중 학부모 분위기는 이전 신창초와는 다른 분위기에 한껏 기가 눌린다. 신창초는 5개

단체 학부모 연말 모임에 참석에 내 의견을 내기도 하고 '도서 도우미 학부모 동아리'가 연수 갈 적에는 학교를 대표해 '잘 다녀오시라' 격려의 말도 하기도 했는데 답답하기 이를 데 없었다. 학교가 학부모만으로도 학교 측만으로도 독불장군처럼 이끌어 가는 것은 아니다. 결국 학교, 학부모가 서로 혼연일체가 되어 도움을 주고받는 관계로 가는 게 정석인데 말이다.
어려운 일이 생길 때 서로 의논하고 일정 부분에 대해 학교 측에 일임하는. 그것도 필요한데 일거수일투족에 다 관여하려 하니 학교 측으로서는 어렵기만 하다. 사람을 잘 만나는 일은 이렇듯 중요한 일이다.
소리 없이 흘러가는 것이 잘 굴러가는 조직이다.
많이 튀지 않고 묵묵히 자신의 역할을 성실히 모든 직원이 해나가기를 바란다. 이제 2년 남은 공직 생활, 원만하고 보람있게 안전하게 신뢰롭고 행복하게 마무리 짓기를 바란다. 모두에게는 아니더라도 몇몇 사람들에게는 꼭 있어야 할 실장님이 없어 아쉽다는 말을 들을 수 있는 사람이 되도록 노력해 볼 일이다.
다가오는 새봄.
새로운 마음으로 누구에게도 누가 되지 않는 힘찬 출발을 시작했으면 좋겠다. 우리의 일상이 늘 행복스럽기를 기원해 본다.

행정 실무사 제도의 명암

아침부터 사무실 라디오에선 이용의 음악이 흘러나온다.
"지금도 기억하고 있어요~ 시월의 마지막 밤을."
사무실에 있던 한 주무관이 말했다.
"이용이 오늘이 제일 바쁜 날이래요."
한바탕 웃음이 터졌다.
"아 그 노래 부른 가수요? 오늘이 10월 말이라서요?"
"네네. 하하."

오후에 아내를 데리러 학교에 갔더니만 과학부장님과 협의 중이라 했다. 20분을 기다려도 나오지 않는다.
"무슨 일이 있는 걸까?"
내심 공상에 잠긴다.
특별히 학교에서 문제가 될 일이 없는 듯하긴 하다. 잠시 뒤 아내의 얼굴이 보인다. 약간은 상기된 듯, 약간은 침울한 듯싶다. 난 씽긋 멋쩍은 웃음을 보이고는 안으로 들어오라고 손짓한다.
"왜 그러는데? 무슨 일 있어?"
"어, 조금 전 퇴근하기 전에 과학부장님이 부르시는 거야, 잠시 들러달라고."
"어. 그런데?"
"그래 갔더니만 오늘 기획위원회를 했는데 그 자리에서 교감이 과학 행정 실무사도 수업 끝난 뒤에는 2층 교무실에 내려와 있으라는 거야. 교장님과 다 협의가 되었다고, 부장님도 경험이 없어 아무 소리도 못 하고 전해주라 해서 오셨다고."

"아직도 그런 일이 다 있어?"
"그러게 말이야. 그건 그렇고 교감 선생님이 계시는데 들러 인사하고 갈래?"
"그래야지, 기회가 별로 없는데."

그러고는 2층 교무실에 들어섰다.
교무실에는 교감 선생님과 여선생님(후에 교무부장임을 알았다)이 있었다.
"교감 선생님 제 남편이에요."
"안녕하세요. 교감 선생님."
"어서 오세요."
"도양희 계장을 통해서 교감 선생님 말씀 많이 들었습니다."
"아. 도 주무관요?"
"인연 중에서 같이 근무했습니다. 앞으로 저희 집사람 잘 부탁드립니다."
"알겠습니다."
"그럼 수고하세요."
사무실을 나와서는 차를 타고 오는데 집사람은 걱정이 태산과 같다.
"어떻게 애길 해야 하지?"
"그러게, 일단 나는 교감 선생님이 일 처리 방식이 좀 '무대뽀'식이란 생각이 드는데?"
"그러게 말이야 나도 서운해."
"그게 새로운 업무를 부과할 땐 부장님에게 그것도 기획위원회 석상에서 즉흥적으로 말할 게 아니고 자기를 불러 선은 이렇고 후는 이런데 좀 협조해 달라고 하고 의견을 물어보는게 정석 같은데?"
"나도 그렇게 생각해."

"어 그래 교감 선생님하고 다시 한번 얘기를 나눠봐?"

"어어 그래야 할 것 같아 그런데 무슨 얘기를 어떻게 할지 몰라서?"

"일단 자기 심정을 얘기하는 게 좋겠어, 직접 들은 것도 아니고 부장님을 통해서 통보식으로 온 것이 좀 서운하다고, 내가 알기론 자기네는 노동법 적용을 받아서 새로운 업무를 부과할 때는 당사자의 동의나 협의 등이 필요한 것으로 알거든. 그래서 취업규칙도 노동부에 들어가고, 둘째로는 과학 행정 실무사가 교무행정실무사와 다르다는 점을 부각해, 교무행정실무사는 말 그대로 행정을 위해 채용되었다는 점을 강조하는 것도 좋아."

과학 행정 실무사는 학생들 실험과 과학실 관리를 위해서 채용되었고 그게 잘 안되니깐, 일전의 교육청에서 온 공문에 따르면 과학 행정 실무사만 지칭해서 과학 수업, 실험·실습 등에 지장이 없도록 업무 분장하라는 말이 있거든 많은 실무사 중에서도 과학실무사만 거론한 것은 그 특수성이 있기 때문이지, 실험실의 안전이나, 약품 관리 등 말이야. 셋째로는 평상시는 어려워도 방학 중에는 수업이 없어 교무실 근무가 가능하다 말씀드리고, 마지막으로는 계속 교감 선생님이 강요할 때는 남편하고 의논했는데 노조에 조정을 권유해야겠다고 말하는 게 좋을 듯해."

"그래도 괜찮을까?"

"당연하지. 그리고 그 업무조정 공문 관련하여 교감님이 어느 부서나 부장 밑에 배치 지양이라서 그 공문에 따라 교무실로 와야 한다고 주장하면 지양이지 금지가 아니지 않느냐고 금지나 시행이란 표현은 안 쓴 것은 학교에 재량권을 준 것이기에 과학실서 근무하게 해주면 좋겠다고 얘기하면 될 듯해."

"어어 알았어."
"너무 걱정하지 말아. 자기가 좋게 애기해도 안 되면 내가 한 번 교감님 만나서 애기할게."
"그래."
"그리고 난 그 전에 처음 회식 때 교감 선생님이 자기보고 술 먹으라 하면서 못 먹는다고 하니깐 해고, 재임용 안 되고 어쩌고 말한 것은 교감이 자기를 무시한 처사라 생각해."
"글쎄 나도 그날 기분이 상당히 나빴어."
"그니깐 보통은 무기 계약되었기에 젊은 사람이 많다느니 재임용 애기 꺼내는 것은 위험한 거거든. 갑질이 될 수도 있어."
"그러게."
"하여튼 차분히 자기 의견을 애기하고 서로 협의를 잘해."
"어어."
"근데 교감 선생님이 일이 다 끝나고 뭘 그렇게 할 일이 있냐면 뭐라 해?"
"사람이 어떻게 하루종일 일만 하냐? 일도 하고 쉬기도 하고 그러지."
"그러게."

아내와 대화하고 듣자니 참 화가 치민다. 비정규직이란 설움에 의기소침하고 나름대로는 열심히 일하고 있는데 이리 가라 저리 가라 하면 얼마나 처참한 심정이 되겠는가? 일이란 것이 한자리에서 차분히 해야 일이 되지 이리저리 이일 저일 한다고 일이 되는 것은 아니지 않는가! 더군다나 일전에 도서실 근무하던 공익이 제대하면서 공백이 비니깐 처음에는 오후에 담당 선생님보고 근무하라 하고, 그 선생님이 그건 어렵다고 하니 행정 실무사를 모두 불러서는 교대로 근무시키고 만약 행정 실무사가 못한다고 하는데도 강요한다면 얼마나 사람을 무시하는 처사이겠는가! 학기 초에 담임이나 부장 임용 시에 선생님들이 특정 학년이나 특정 부장은 원치 않으면 교감님이 그 선생님들 설득하고 격려하며 업무를 주는 형편인데, 이는 지휘계통이 명확한 국가공무원법 적용을 받는 교사에게도 어려워하는데, 하물며 노동법의 영향을 받는 비정규직은 반드시 본인의 동의와 협의 절차를 거쳐 일을 주게 되어 있는데 그런 과정을 다 무시하고 통보하는 것은 명백한 노동법 위반이 아니던가!

이러한 부분에 존중받지 못한다 생각하여 자괴감이 듦은 당연하다. 학교 운영에서는 항상 공평성의 원칙이 적용되어야 마땅하다. 말 잘 듣거나 말 못하는 누구는 잘 따라준다고 맘대로 하고 말 빨 있는 교사의 말에는 몇 발 양보해 다른 사람에게 의무 부과를 함은 공평성에서 벗어난 일이 아닐 수 없다. 행정 실무사 배치기준에서도 기존 행정 실무사의 경우는 그 고유의 업무 범위가 크게 흔들리지 않는 범위내에서 업무분장을 권유한 것도 행정 실무사 제도의 연착륙을 위한 것이지 않은가!
집사람 문제가 잘 해결되어 원만히 협의가 이뤄지길 바란다.
대화와 소통 타협이 무엇보다 중요한 순간인 듯싶다.

정년해도 모임이 지속되는 비결

지난 금요일에는 공항중 50대 모임에 다녀왔다. 2007년 처음 결성되었으니 벌써 12년이 된 셈이다. 처음 구성원은 행정실장, 사무원, 시설 주무관, 전직 교사 출신으로 9명으로 구성했는데 한 사람이 탈퇴하여 현재는 8명으로 운영하고 있다. 대부분 정년, 명예 퇴임하고 현직에 있는 사람은 나와 내 공항중 후임자인 진 실장뿐이다. 금요일은 창의인성부 문 부장님이 인문학 강연을 하고 식사도 같이하기로 했었는데 이 모임 때문에 참석하지 못함에 양해를 구했다. "지금 올라가고 있는데 좀 늦을 것 같아요." 단체 카톡 창에 이 주무관의 메시지가 떴다. 김제에서 올라오는 거란다. 참석하기 어려웠는데 일정이 바뀌는 바람에 참석하게 되었다.

"저는 조금 늦어요."

양 주무관 메시지가 떴다. 얼마 전 1년 동안 열심히 공부하여 간호조무사를 땄고 지금은 안양의 한 조그마한 요양원에 취직하여 제2 인생을 살고 있다.

"저는 지금 송내 IC입니다. 1시간 조퇴를 냈어요."

내가 카톡을 했다.

"우아 허허"

박 교장 선생님이 답 메시지를 보냈다. 모임이 6시라 1시간 조퇴를 내고 모임에 참석했다. 끝나고 모임 장소까지 간다면 7시는 되어야 도착할 듯싶었다. 1시간 일찍 나와도 모임 장소까지 6시는 조금 넘을 듯싶다.

"안녕하세요?"

"네네. 어서 와요."

모임 장소에 도착하니 4명이나 와 있다.

"일찍들 오셨네요?"

"할 일이 없어서요, 하하."

모두 활기차고 건강해 보인다.

"신 주무관님은 지금 어느 학교라 했죠?"

"공은초예요"

"아. 네."

신 주무관님은 시설 주무관으로 정년 퇴임하고는 시설직 미발령 학교에 대체직으로 근무하고 있다.

"남들은 일을 못해 아쉬워하는데 그래도 할 일이 있다니 좋겠어요?"

"네네. 아주 재미있습니다."

"잘 되셨어요."

잠시 뒤 양 주무관이 왔다.

"요양원 생활 힘들지 않으세요?"

"요즘은 조금 힘들어졌어요. 주간 어르신 학교를 운영해서요. 그분들이 고집도 세고, 의견 충돌도 심해서요."

"그렇겠네요."

"그리고 여행 계획에 대해서 의논했으면 좋겠어요."

이 주무관이 말을 꺼냈다. 지난번 두바이 가려 했는데 김 부장님 모친이 병원 입원하시는 바람에 취소되었는데요, 언제 재추진하는 것이 좋을까요?"

"한번 가긴 해야 하는데 시간적 여유를 두고 중국이든 베트남이든 갔으면 좋겠어요, 비용은 그대로 묶어 두고요"

"그러는 게 좋겠어요."

모두 동의의 의사를 표한다.

"양 주무관님 아들도 군대 갔다면서요?"

박 교장 선생님이 말을 꺼낸다.
"원통 최일선 GP에 근무해요."
"그러면 부장님, 우리 아들도 원통으로 갔는데 양 주무관님 아들 주특기가 뭐예요?"
내가 말을 걸었다.
"그냥 보병이에요."
"아, 고생 좀 하겠네요."
"그럴 것 같아요."
"자 저녁들 드셨으면 장소를 옮겨 커피 한잔 더 하고 가시죠."

우리는 1층 파리바케트로 자리를 옮겼다. 커피, 음료 등을 주문하고 잠깐의 대화를 나눈다. 2달에 한 번 모이는 모임인데 만나는 데 의미를 두고 2년에 1회 정도는 해외여행도 다녀온다. 벌써 나도 이 모임에서 중국과 대만을 다녀왔다. 나머지 시간은 시험공부로 인해 여행을 같이하기가 어려웠다. 사부님들까지 같이해 잘 지내기도 했다.
"올해도 가까운 곳 가서 서로 치유할 수 있는 시간 되면 좋겠어요."
"그렇게 합시다."
오랫동안 이렇듯 모임이 지속된다는 양 총무님의 모임 공지와 각자 대소사에 함께 참여하고 일반직과 교원이 적당한 비율로 있는 것 그리고 한 학교에 근무하며 한때는 같은 밥을 먹었다는 데 이유가 있을 것이다. 또한 누가 누구에게 강요하는 것이 없어 편한 것도 또 한 이유다. 무엇보다 서로를 배려하고 부담을 주려하지 않는 것도 모임 지속의 큰 역할을 한다고 생각한다. 이 모임이 오랫동안 지속되어 즐거운 노년으로 이어지기를 소망해 본다.

태풍 링링 북상과 학교 피해

지난 주말에는 유례없는 강력한 태풍이 불어온다고 하여 마음 졸이며 지냈다. 토요일에 태풍은 절정을 이루었었다. 초속 30~50미터로 서 있는 사람은 중심을 잡기가 어려운 강풍이란다.
방송에서 워낙에 겁을 주었고 더군다나 그 당일에는 온종일 특집방송으로 태풍 관련 소식을 전했다.
나도 학교 시설 주무관과 회의를 거쳐 주말 오후와 일요일 오전에 김 주무관이 학교 시설을 확인키로 했다.
당직자가 무기계약직으로 전환되고부터 의무적으로 하루 휴일을 주게 돼 있어 학교는 워낙 불편한 게 아니다. 지금의 당직자들도 그 상황을 알고 있어 서로의 마음의 상처를 내지 않으려 한다.
토요일엔 강풍이 3시부터 6시까지가 절정인 듯싶었다.
도로에는 지나가는 사람은 많지는 않았는데 혹 비바람이나 날아다니는 철판에 다칠지도 모른다는 생각은 든다. 비바람이 어찌나 드센지 열어놓은 창문을 닫는데 처음엔 꿈적도 하지 않았다. 아파트 밖 창문을 내다보니 가끔 하늘에 지붕 쪼가리들이 춤추듯 날아다녔다.
"우리 학교는 안전할까?"
집에 있으면서도 마음은 학교에 가 있었다.
바람이 조금 잔잔해진 8시경 시설 주무관으로부터 연락이 없어 문자를 넣었다. 토요일 저녁과 일요일 아침에 학교를 방문하고 문자를 주기로 했기 때문이다.
"주무관님 학교는 괜찮던가요?"
"죄송하지만 오늘은 바람이 너무 불어 가지를 못했습니다. 내일 다녀오겠습니다."

"다녀오시면 문자 주세요."

"알겠습니다."

학교가 근처였다면 한달음에 달려가 시설 파손 현황을 파악했을 것이다. 거리가 멀어 저녁에 가기는 어려웠다. 내일 아침 일찍 학교를 방문해 보아야겠다고 생각했다. 오늘 밤에도 아무 일도 없기를 내심 기도해 본다.

다음 날 아침 6시 학교를 향해 출발했다. 막힘없이 38km 거리인 학교에 50분도 되지 않아 도착했다. 학교를 한번 둘러보니 몇 가지 파손 현장이 들어왔다. 정압기 뚜껑이 떨어져 있고, 시청각실 앞 배너 현수막이 1개 파손되었으며, 현관을 돌아오니 장애인음성 유도장치가 쓰러져 있었다. 일으켜 세워보니 장애인 유도장치에 붙어있던 주물 현황판이 보이지 않았다.

"아이고 떨어져 나갔네."

혼자 말을 하면서 후관과 옥외 파고라, 체육관, 기숙사 등을 둘러보는데 다른 큰 파손은 보이지 않았다. 이 시설 주무관이 방문할까 걱정되어 농장은 보지 못하고 자리를 떴다. 그리고 교장 선생님께 문자를 넣었다.

"교장 선생님, 학교는 큰 피해는 없네요, 정압기, 장애인음성 유도장치, 배너 현수막은 파손되었어요, 내일 현장을 보고 다시 보고드리겠습니다."

"그래도 그리 큰 피해는 없었네요. 다행이네요"

교장 선생님 답장이 바로 왔다. 다들 태풍에 마음은 학교에 있었다. 다음 날 아침 일찌감치 학교로 와서 한 바퀴 들러보고 자리에 앉으니 농장 주무관이 전화가 왔다.

"실장님, 농장은 비닐하우스 1동과 슬레이트 지붕이 파손되었네요."

"아, 네 알겠습니다."
현장을 가보니 농장 주무관 말대로 비닐하우스 1동이 벗겨지고 슬레이트 일부가 파손되었다. 특성화 부장도 바로 현장에 왔다.
"실장님, 복구 비용을 받을 수 있을까요?"
"네. 학교 시설 재난 공제회 대상인지 확인해보고 알려드리겠습니다."
학교 시설 재난 공제회는 본청에서 일괄적으로 학교 재산 및 중요 비품에 대하여 보험처럼 가입하는 것이다.
사무실에 들어와서는 송 주무관에게 학교 시설 재난 공제회 신청에 대하여 교육청 관재계에 문의하고 신청토록 지시하였다.
"실장님, 먼저 지역청에 신고내용 보고하고 본청에 재해 복구비 신청하는 거네요, 견적 붙여 다음 주 신청토록 하겠습니다."
"네네. 그래 주세요."

점심 때쯤 체육부장님이 행정실에 들어오면서 한마디 한다.
"실장님 저희는 농장만 손해를 입었지, 그리 큰 피해가 없는 건가요? 앞 중학교는 주차장 지붕이 강풍에 날아가서 인근 주민이 민원 제기하여 지난 토요일에 교장 선생님과 실장님 그리고 교육청까지 다 나왔다네요."
"아. 피해가 컸나 보네요?"
"그리고 중학교 현관 지붕 패널 파손, 소나무 꺾임 등 피해가 좀 있었다네요."
"그래요? 걱정이 많았겠네요."
"그렇죠."
"그래도 우리는 천만다행이에요."
학교 시설은 재난에 특히 취약하다. 더군다나 우리 학교처럼 오래되고 농장이 있는 학교는 그 피해가 클 수밖에 없다. 그래도 그 정도면 굉장히 양호한 피해다.

학교 시설 재난 공제회를 통해 복구비 지원을 받아 빨리 원상회복하여 학생들의 교육활동이 어려움을 겪지 않도록 힘써야 하겠다.
우리는 또 태풍을 통해 한 수 배운다.
"안전한 학습환경이 학생들의 행복임을."

신종플루와 귓속 염증

"에취. 웬 기침이지?"
"심한 것 같은데."
"왼쪽 목덜미 위로부터 머리 쪽이 아프네."
"가만히 있어도 아픈 거야? 아니면 누르면 아픈 거야?"
"글쎄, 둘 다 같아."
퇴근하다 말고 아내와 갑자기 아파져 온 머리에 관하여 얘기를 했다.
"이상하게 머릿속을 송곳으로 찌르는 듯한 것 있잖아? 전기 온 듯한?"
"어, 그런 증상이 있어?"
"어어, 엊저녁부터 열이 좀 심하게 나더라고, 밤잠을 두 번 설쳤어."
"아, 그래, 그러면 병원에 가보자고."
"에이 그냥 낫겠지 뭐, 내일 가볼게."
"아냐 뭐 하러 놔둬, 괜히 고생하지 말고 박내과 들르자?"
"그럴까?. 그럼 들렀다 가자."
요즘 신종플루로 인하여 학교도 비상이다. 아직 우리 학교 학생들이 감염된 것은 없지만 보건 선생님과 교장, 교감 선생님을 주축으로 혹 발생할지도 모를 전염병에 온 힘을 다하고 있다. 지난번에는 운영위원회를 긴급 소집하여 9월 예정이던 2학년 수학여행과 1.3학년 추계현장학습 행사를 전격 취소하였다. 혹 있을 수도 있는 사고의 개연성을 미리 차단하자는 의미로 말이다. 학교도 건강관리에 대하여도 굉장히 신경을 많이 쓰는데, 직원이나 교사가 걸릴 경우의 파급효과가 크기 때문이다.

병원은 많은 사람으로 붐볐다. 특히 눈에 띄는 것은 “학교에 제출할 신종플루 관련 진단서가 필요한 분은 접수 때 말씀해 주세요.” 란 문구가 신종플루의 심각성을 말해주고 있었다. 독감 예방백신을 투약하는 사람들도 많이 보였다. 우리도 지난주에 아내와 아이들을 데리고 미리 독감 예방백신을 맞았던 기억이 있다. 빨리 신종플루가 지나가야지. 걱정이 끝날 것 같다,
큰아들은 ‘천식’이 있어 이번에 신종플루 고위험군인 당뇨, 심장과 함께 조심해야 할 위험군으로 인식되고 있어 가장인 내가 신종플루에 걸리면 우리 가정 내의 건강을 담보할 수 없었다.

“112번 환자는 제2 내과로 오세요.”

마이크 소리에 맞춰 나는 진료실로 들어갔다.

“어떻게 오셨어요?”

안경을 끼고 정확하게 생긴 내 연배 또래의 의사가 안경 속의 눈동자를 굴리면서 내게 물었다.

“네. 엊그제부터 목 위로해서 머리가 손을 대지 못할 정도로 아프고, 열이 나서 어제는 밤을 두 번 정도 뒤척였고요. 오늘은 귓불 부분이 아픈 걸 보니 어디 염증이 생긴 것 같아요.”

“제가 보겠습니다. 모니터를 같이 봐주세요.”

“네.”

“귀를 너무 세게 후비시네요. 귀는 파지 않으시는 게 좋아요. 여기 이렇게 빨간 부분 보이시죠? 이것 때문에 열이 나고 아팠던 거예요. 크게 심하지 않으니 사흘 정도만 약을 지어드릴게요.”

“그것만 먹으면 될까요?”

“그럼요. 괜찮을 거예요.”

신종플루로 인한 감염 위험에 대한 걱정이 귓속 염증을 다른 병으로 오인하게 만드는 역할도 했다.

한편 내가 병에 걸리면 온 가족이 감염될 수 있다는 가장의 위치에서의 걱정이기도 했다
우리 가족과 학교 구성원이 모두 신종플루 같은 병에 걸리지 않고 건강하고 행복한 날을 지내기를 기원한다.

부서 간 업무 갈등 언제까지

"실장님, 교장 선생님이 들어오시래요."
점심 식사를 마치고 사무실에 오니 최 주사가 교장실에서 인터폰이 두 번 왔다고 한다.
"실장님, 잠시만 기다리세요, 보건실장을 오라 할 테니까."
교장 선생님은 곧잘 보건교사를 보건실장이라 부른다,
아마도 나이는 많은데 부장 보직은 없어 예우 차원에서 그렇게 부른 듯하다.
"그렇지 않아도 교감 선생님이 말씀하시더라고요, 업무 분장 때문에 부른 거 아닌가요?"
"몇 번씩이나 왔다가는 그냥 가고 해서 이번에 협의하시자고요."
노크 소리와 함께 보건실장이 들어왔다.
"보건실장이 얘기해 보세요."
"저는 지난 1년간 아무 소리 없이 보건 영역이 아닌 일을 제가 다 해 왔습니다. 일을 안 하겠다는 얘기가 아니라 업무를 조정해 주었으면 합니다."
"지난번에 행정실장님과 교감 선생님하고 협의해 보았는데, 결론이 안 나서요?"
"교장 선생님, 제가 말씀드리겠습니다. 보건 선생님이 하는 업무영역은 정수기 관리, 학생건강진단, 교직원건강진단, 교내소독, 환경위생관리자의 영역을 행정실로 넘기고 싶은 것 같은데요?"
"실장님, 학교마다 업무 분담이 다 달라 그것은 학교장의 고유영역이라 생각합니다. 실장님이 보건 선생님이 하는 환경위생관리자를 맡으세요, 그 외에 교직원건강진단과 정수기 관리도 맡으세요, 나머지는 보건실장님이 하시고요"

"전 작년 1년 동안 제 업무가 아닌 것을 해 왔습니다. 학생건강진단 이외는 할 수 없습니다."

"보건 선생님, 교장 선생님. 이 자료를 보아주십시오, 이 자료는 학교보건법과 그 시행규칙입니다. 학교보건법 제6조 4항에는 [보건교사의 직무]가 나와 있습니다. 나항과 다항에서 보듯 학교 환경위생의 유지 관리 및 개선에 관한 사항과 학생이나 교직원에 관한 건강진단실시의 준비와 시행에 관한 협조 또한 파 항에 기타 학교의 보건관리에 대하여 보건교사의 고유 직무로 나와 있습니다. 더군다나 같은 법 제2조의2에는 보건실에 갖춰야 할 기구로 학생 및 교직원의 건강진단관리와 응급처치 등에 필요한 시설 및 기구와 학교 환경위생 및 식품 위생 검사에 필요한 기구를 규정하고 시행규칙엔 기구의 목록은 별표를 열거했는데 조도계, 가스검지기, 소음계, 먼지 측정기 등은 학교 환경위생관리자가 업무수행을 위해 갖춰야 할 기구입니다. 이렇듯 법과 규칙에 명시된 일을 왜 안 하고 행정실에 주려는지 이해가 안 됩니다. 법이 현실과 맞지 않는다면 법 개정 이후에나 거론할 일이죠."

"하여튼 저는 할 수가 없어요."

"그러면 저도 한 가지도 할 수 없습니다."

"관내 학교 현황을 파악하는 것은 어떨까요?"

"제가 내일 업무 연락을 통해 관내 학교 현황을 파악도록 하겠습니다."

이튿날 출근하자마자 난 김 계장에게 보건 업무영역을 어느 부서에서 하는지 파악도록 하였고 오후에 그 결과가 나왔다. 관내 현황 파악에는 학생건강검진은 보건실, 교직원건강검진은 반반, 정수기 수질검사는 보건실, 정수기 보수는 행정실, 학교 안전공제회는 보건실, 교내방역은 보건실, 학교 환경위생 관리자는 보건실이 주 부서로 파악되었다. 교장실에 보건실장과 나는 다시 모이게 되었다.

"난 먼저 여기까지 이러한 사태가 오고 더군다나 관내 학교에 확인까지 하는 사태가 오게 된 것이 유감입니다. 먼저 각자의 의견을 듣고 얘기토록 하죠."

"네, 저는 지난 1년간 아무 소리 없이 시설영역에 속한 부분을 해 왔기에 더는 할 수 없다는 말씀만 드리겠습니다."

보건 선생님이 말했다.

"저는 어느 조직이든 업무 분담에 있어선 첫째가 법이고 둘째가 지침 셋째가 관례라 생각합니다. 원칙이나 이유 있게 처리해 주시면 좋겠고요, 보건 선생님에게는 법에도 나와 있는 보건교사의 직무를 인제 와서 행정실로 다 넘기겠다는 심보를 이해할 수가 없고 이러한 논리라면 전 입학과 관련한 학적, 연구부의 시범학교 운영, 정보부의 고유업무까지 행정실로 넘어오지 않는다는 보장이 없기에 우려를 표합니다."

"그러면 보건실장님은 어느 업무를 하겠습니까?"

"네, 저는 학생건강진단과 정수기 필터 교체만 하겠습니다."

"실장님은요?"

"네 저는 이 통계치에 나와 있는 수치대로 해주신다면 따르겠습니다. 보건 선생님은 이 통계수치와는 반대로 하시는군요?"

"네 제가 심판관도 아니지만 말씀드리겠습니다. 법령이나 조사한 자료는 그저 참고치에 불과하고요, 행정실장님이 환경위생관리자, 교직원건강검진, 안전공제회 업무를 맡아주세요."

"네."

난 내심 한편으론 이제 좀 교장 선생님의 뜻을 받아들이자는 이해심과 반대로, 언제 우리 교장 선생님이 법과 원칙을 중시하시는 분이었던가 하는 호기심도 작용했다.
"보건실장님은 나머지 업무를 맡아주세요. 그러면 반반 되네요."
"저는 정수기 수질검사나 교내 소독은 전체적인 시설업무라 빼주시면 좋겠는데요?"
"아니 그냥 하세요, 그래야 형평에 맞죠."
형평이란 업무를 반반 나누는 것이 아니라 소관 업무를 소관부서에서 하는 것이란 내 생각과는 너무나 달랐다.

다음 날 오전에 교무부장이 커피 한잔하러 오셨다.
"부장님, 어제 이런 일이 있었어요. 전 이해를 할 수 없어요."
"어차피 행정실과 보건실이 협조해야 하는 문제인데, 실장님이 양보하세요. 여기서도 보면 3개 학교는 환경위생관리자를 행정실로 지정했잖아요, 그 학교도 뭔가 원칙이 있겠죠?"
"제가 볼 때는 원칙이 없다고 봅니다. 법에 명시된 사항을 주관적으로 판단한다면 법적인 소양이 없다고 봐야죠, 결국 머릿속에 헛생각만 들었다고 봐야죠."
나는 좀 강하게 말했다. 순간 교무부장의 안색이 변하는 것을 느꼈다.
새삼 원칙과 기준 법이 통하는 사회는 언제나 올는지, 원칙이나 법을 잘 지키라고 가르치는 학교에서부터 무논리와 인정, 무원칙, 뗏법으로 조직 운영을 한다면 우리 미래의 학생들은 무엇을 배울지 한심하기 그지없는 하루였다.

메모를 하면 돈이 생긴다

"난방은 언제부터 가동할 생각이세요?"

아침 간부회의를 하다 말고 교장 선생님이 물어보셨다.

"지난해엔 10월 23~24일 시험가동하고 10월 30일부터 본격 가동을 했습니다."

"아. 그래요? 그러면 올해는 어찌할 생각인가요?"

"작년의 예에 따르겠지만 날씨 변화를 봐야 할 거예요."

"아니 실장님은 어떻게 작년의 난방가동 날짜까지도 알고 계셔요?"

제 말을 듣고 있던 교감 선생님이 물으셨다.

"업무노트에 다 기록해 놓았거든요. 난방가동일 뿐 아니라 난방 끈날, 에어컨 가동일과 끈날 그 외 에어컨 청소일 등도 상세 기록되어 있어요, 그리고 그 가동 전에 미리 지난 업무노트를 보면 거의 가동일이 비슷하거든요."

"대단하세요!"

"아닙니다. 누구나 다 그렇게 할 텐데요."

"아녜요. 누구나 다 그리하지 않아요. 일부 몇 사람들만 하지요."

"그런가요?"

"그러면 난방 건은 실장님이 알아서 잘 운용해 주세요."

"알겠습니다."

위의 예는 내가 근무하는 학교의 아침간부회의 풍경이다.

겨울이 다가와 온풍기 점검을 하면서 시험가동 일자와 본격 가동일 등을 점검하는 모습이다.

이렇듯 시험가동을 함으로써 본격 가동 때 온풍기가 들어오지 않아 학생들과 교직원이 추위에 떠는 일을 예방한다. 또 기계를 미리 점검함으로써 큰 고장이 날 것을 미리 예방하여 큰 비용이 더 들어가는 것을 사전에 방지하여 예산을 아낄 수도 있게 된다.

학교 행정실에서 근무하는 관계로 선생님과의 직간접적인 접촉과 일반 학부모 지역사회의 민원이 끊이지 않는다. 하지만 어느 한 부분도 놓치지 않고 신속하게 적기에 해결하여 주기에 학교에서의 행정 신뢰도는 높아진다고 생각한다. 학교 예산서에 반영되지 아니한 사업이 발생할 때도 미리 업무노트에 적어 놓은 메모를 확인만 하면 다음 추가경정예산 편성 때 반영하여 교육환경을 적기에 개선할 수 있다.
노트 메모의 경우에 번호를 부여하는 것이 습관화되어 있고 처리된 사항에 대해 ∨표시하여 종료시키고 ∨표시가 안 된 부분은 다음 달, 그리고도 안된 부분은 다음 해로 이월시켜 꼭 해결하고야 만다.
그렇게 함으로써 놓치기 쉬운 부분들을 체크하고 더 개선된 방향을 찾을 수 있는 계기도 된다.
내 기록의 습관은 사무실에만 국한되지 않는다.

지난 1월 초에 지금 사는 새 아파트로 입주하게 되었다. 입주하자마자 공과금 내용을 매일 적기로 했다
월패드(방문자 확인 및 각종공과금등 알수 있는 기계)에는 전기, 수도, 가스, 온수, 난방 등 5가지 항목이 있었지만 매일 매일 얼마나 썼는지는 확인이 되지만 그 전날과 오늘의 차이는 알 수 없었다. 이래서는 내가 절약하는지 아끼는지 한 달 후에나 알 수 있었다. 방법은 시스템을 바꾸거나 매일 매일 적는 길밖에 없었다. 아파트 통합 주택 제어판 납품업체서는 시스템을 바꾸기는 어렵다고 통보해 왔다. 그리하여 5가지 항목에 대하여 매일 매일 기록해

나갔다. 한 달 뒤 공과금 명세서가 나왔고 난 내가 적은 것과 관리비 부과 내용을 비교해 보았다.
아니나 다를까!
난방비 항목에 차이를 발견했다. 내가 최초 인수한 수치와 관리비 고지서에 나온 수치에 차이가 발생한 것이다. 또한 관리비 고지서에 자그마한 금액 오타도 발견되었다. 난 관리사무소에 이의를 제기하였고 오타 부분도 지적하였다. 이리하여 그다음 달 관리비에 그 금액만큼 정산하여 관리비를 아낄 수 있었다. 이 모두가 메모가 생활화한 덕이 아닌가 싶다. 메모를 하면 돈이 생김을 실감할 수 있었다.
"아침부터 뭘 적어?"

화장하다 말고 아내가 내게 묻는다.
"어, 오늘 학교에 가서 해야 할 일과 아파트 관리사무소에 질문할 일을 적고 있어."
아침에 새벽 5시면 일어나 계절을 가리지 않고 운동하는 것과 출근 전 차분히 오늘 해야 할 급한 일에 대한 메모 정리가 습관처럼 되었다.
"하여튼 당신은 우리 아버지와 왜 그리 닮았는지. 우리 아버지도 매일 주머니에 메모해서 가지고 다니셨는데, 사위는 장인을 닮는다더니 딱 맞나봐?"
"어, 그래. 닮으면 좋지."
나는 '메모는 돈이야'라는 생각하면서 허허 웃는다. 내 메모의 습관은 나이가 들면서 생긴 것은 아니다.
젊은 시절부터 종이에 무엇인가를 늘 적는 습관이 생활화되었고 더군다나 전화 중에도 종이에 메모하는 습관이 일상화되었다.
기록하는 습관은 내가 직장생활을 하든 가정생활을 하든 결코 내게 실이 아닌 득으로 다가오는 좋은 습관임이 틀림없다. 책을 읽고 그 내용을 행동으로 옮기는 사람은 한두 명에 불과하다 한다. '인생을 바꾸려면 지금 알고 있는 것을 시작하라'라는 말이 있다. 누구나 다 메모를 습관화하고 지금 당장 행동으로 옮김으로써 시장을 보는 사소한 일에서부터 우리 업무를 조사하고 개선하는 일 그리고 더 나아가 번득이는 아이디어를 일상생활과 접목하게 시켜 생활을 윤택하게 하는 좋은 계기가 되었으면 좋겠다.

아이들 식사인데

"오늘 점심에 교장님이 손님을 모시고 오셨나 본데 영양사가 황당한 일을 당했어."
퇴근시키려 아내를 데리러 갔는데 차에 타자마자 말한다.
"왜 무슨 일이 있었는데?"
"어, 오늘 교장 선생님이 교무실서 식사하는데 아마 교무부장님보고 손님이 오셨는데 식사 2인분을 준비해 달라고 했나 봐."
"어 그런데?"
"부장님은 영양사님보고 식판만 2개 더 가져오라 했는데, 점심에 식사하러 오시더니만 영양사를 부르시더래."
"그래서?"
영양사가 영문을 모르고 들어오니 교장님이 입구에 딱 버티고 서 있다가 영양사에게 막 씩씩거리시며
"밥을 나보고 푸란 말이야? "
아마 교무부장에게 말한 의도는 식사를 퍼서 교장실로 2개 갖다 달라는 말이었나 봐."
"요즘 그런 학교가 어디 있어? 본인 손님이면 학교서 급식을 먹지 말고 나가서 사줘야지. 다들 급식비 내고 먹는데 그냥 먹으면 안 되잖아."
"그러게, 하여튼 영양사는 얼굴이 하얗게 질렸지 뭐야."
"참 이상한 일이다, 상식적으론 이해가 안 되는데."
"그러게, 말이야."

이번 9월 1일 자로 교장 선생님이 김포시에서 오셨다고 했

다. 첫인상부터가 남달랐던 모양이다. 첫날 교장 선생님 짐이 오는데 트럭으로 한 차 왔다. 보통들 발령 나면 복사 용지 상자 1박스에서 2박스 정도 가져오는 게 보통인데 차로 1차라니 상상 이상이다. 아내 말로는 책이 우유 상자로 10개는 되고 화분, 신발, 액자, 기타 등등 본인이 사용하던 물건들을 다 가지고 다니시는 모양이다. 처음에 그 말을 듣고는 혼자이신 거 아냐? 하고 물었더니만 그 주 일요일에 교장 선생님 식구들이 와서 짐을 정리를 했다고 한다. 혼자는 아닌 모양이다. 며칠 전 그 학교 행정 실장님이 전화가 와서 하소연했다.

"실장님, 교장님이 외부 화단에 잔디가 엉망이라고 사람을 사서 한다는데 어찌해야 할지 모르겠어요?"

"왜요? 해드리면 되죠."

"문제는 주무관님들이 이번 여름에 잔디를 다 깎아서 사람을 사서 할 정도는 아니거든요."

"제가 학교에 가서 봐도 그리 풀이 많이 자라진 않았더라고요, 교장 선생님이 신경이 예민하신가 보네요?"

"그런 것 같아요."

"학교 시설비는 여유가 있어요?"

"아니요. 시설비도 거의 없어요."

"시설비도 함께 고려해야 하는데, 그러면 교장 선생님이 처음 부탁하는 거니 일단 들어드리고요. 교장님에게 예산상 어려움의 문제를 말씀드려봐요?"

"네. 그런데 문제는 교장 선생님이 제가 말씀드리러 들어가면 고개도 안 마주쳐요, 제 얘기를 들으려 하질 않으세요."

"그러시면 안 되는데 학교에선 실장님과의 의사소통이 제일 중요한데 말이죠."

"일단은 교장 선생님 요청하시는 것은 기분이 좋게 들어드리고 차츰 추이를 지켜보시는게 좋을 듯해요."

"네, 고마워요. 실장님."

그런데 어제 집사람으로부터 충격적인 이야기를 또 들었다.
"오늘 실장님을 교장님이 불러서 막 화를 냈대."
"왜?"
"오늘 4.6학년 체험학습하는 날인데 실장님은 나가서 차량 확인을 했었나 봐. 그런데 교장님이 실장님을 불렀는데 그거 검사하느라고 좀 늦게 갔겠지, 그랬더니 학부모들 많은 앞에서 실장이 교장 무시한다고 어디서 배워먹었냐고 그랬다네. 좀 심하신 것 같아, 실장님 체면이 뭐가 돼, 그래서 실장님이 교장실 가서 얘기하자며 모시고 들어갔나 봐."
"햐. 그것참 문제네. 교장님은 아량도 있어야 하는데 그런 느낌이 전혀 안 보이니 말이야."
"그리고 오늘 선생님들도 아이들 다 가는데 나와 보지도 않더래,"
"들어보면 참 교장님은 덕이 안 되고 인격이 좀 부족하신 분 같은데 어찌 그럴 수가 있지?"
"그러게 말이야."
집사람의 말을 액면 100% 들어보자면 참 그런 사람도 없다 싶다, 냉혈한에, 외고집에, 아량 관용은 찾아보기 어려운 관리자로서는 완전 부족하다고 여겨졌다.
또한 영양사의 예라든가 행정실장님과의 통화, 대면 접촉에서도 그런 느낌을 지울 수 없다.

소통이 강조되는 시기에 교육자로서 이해와 관용 그리고 소통을 할 줄 아는 마음의 여유를 가졌으면 좋겠다.
아내가 있는 학교니만치 모든 일들이 원만히 순조롭게 풀려 그 학교 구성원 누구나가 행복한 학교 분위기를 만들어 가면 좋겠다.

나도 돈 내고 사 먹고 싶어요.

"오늘 지난번 신청하신 쌀을 나눠 드리겠습니다. 그런데 많은 분께 같이 드리기 위해 10kg으로 해서 25,000원에 드리겠습니다. 시간은 13:00~14:00 장소는 온실 출입구(학교 정문 왼편) 그리고 혹시 추가로 구매하실 분은 말씀해 주시면 명단에 추가하겠습니다."

아침에 출근해 보니 특성화부 송 선생님 문자가 와 있었다. 우리 학교는 일반학급과 전문계 학과가 혼합되어있는 일반고이다. 특성화와는 관상원예와 식품가공학과로 학년당 2반씩 운영한다. 이번 특성화고에서 논 2필지에 농사를 지어 수확하고 교직원을 대상으로 판매하게 된 것이다.

"송 선생님, 저도 1포 신청할게요, 지난번에 신청했는지 몰라서요?"

"실장님, 실장님은 1포 그냥 드리려 하는데요."

"아니에요. 저는 예산을 집행하는 사람으로서 그건 안될 말이고요, 더군다나 우리 직원들은 돈을 내고 먹는데 제가 돈 안 내고 먹으면 나중에 직원들 볼 낯이 없어서요."

"네. 알겠습니다."

금액이 큰 것도 아니고 그걸 떠나 제가 모범을 보이지 않으면 우리 직원들이 나를 어찌 볼 것이며 나중에 행정실 업무 추진에도 불신감이 쌓일 것이다.

며칠 전에 아침 업무 회의 때 교장 선생님 말씀에 의하면 쌀 수확 후 중학교 3포, 육상부 합숙소 몇 포, 그리고 교장, 교감, 행정실장 각 1포씩 제외하고 판매하자는 말도 들은 적이 있긴

한데 아직 현실화하지 않아 어찌 어찌하자고 의논드리지는 않았다. 그날도 집에 퇴근해서는 집사람하고 의논해 봤는데 집사람도 “그냥 먹는 것은 아니다.”라고 말했다. 교장 선생님께서 제안하고 나중에 말할 기회가 오면 자연스레 말하기로 했다. 그런데 이렇듯 개별적으로 메시지가 오니 훨씬 더 편한 부분이 있었다. 쌀 한 포를 들고 집에 들어가는데 집사람은 엄청나게 반가워했다.

“쌀 색깔이 어때?”

“어 말간데.“

“쌀이 좋아 보이는데 오늘 이걸로 저녁밥 해 볼게.”

“어 그래, 오리지널 햅쌀밥을 먹어보자.”

잠시 뒤 김이 모락모락 나는 햇살 밥을 먹어보는 데 정말 맛있었다. 오래간만에 어릴 적 약간은 푸르스름한 햅쌀밥을 먹었던 기억이 떠올랐다.

“농약을 안 해 그런지 정말 맛있네.” 집사람이 함박웃음을 짓는다.

“그러게, 정말 무농약이야.”

학생들과 농과 선생님이 연초에 업체를 통해, 밭을 일구고, 물을 받고, 모내기하고 중간에 한두 번 피를 뽑아주고 며칠 전 드디어 탈곡기로 탈곡했단다. 그날도 나가보니 2필지가 이발한 것처럼 말끔히 정리되어 있었다.

“송 선생님이 벼를 탈곡하는 데 보통이 아니시네요?”

“아닙니다. 별거 아니에요.”

송 선생이 워낙 무심하고 말수가 적어 대화를 나눌 일이 거의 없는데 알고 보니 농업 고수이다. 그 전임자인 이 선생님이 기간제교사로 1학기하고 그만둘 때 탈곡이 원활히 이루어지지 않을까 싶어 걱정을 많이들 했다. 그런데 이의로 쉽게 탈곡하고 건조하고 톤 백에 담아 업체에 맡겨 포장하는 것까지 일사천리로 잘 진행되었다. 트럭 위에서 자연스러운 자세로 쌀을 판매하는 모양새는 흡사 시골 장터 상인을 연상케 했다. 이렇듯 도농 복합 도시에서의 학교생활은 이외의 재미가 있다. 도시 같은 곳에서는 겪을 수 없는 색다른 재미가 있다. 봄에 베이지꽃부터 여름 방울토마토 수확 및 판매, 가을 국화 구매 및 쌀까지 계절에 걸쳐 쏠쏠한 재미가 있는 것 같다. 이런 재미가 학교생활을 이어가게 하는 원동력으로 작용하는 부분도 있다.

계절마다 계기마다 달라지는 다양한 학교생활을 하면서 색다른 경험에 감사한 마음이 저절로 든다. 입가에 생기는 미소와 더불어.

부장단 자연 탐방 연수 실시

지난 10월 4일부터 2박 3일간 우리 학교 부장단 연수가 있었다. 예산은 다달이 내는 회비에서 충당키로 했다. 총 대상 인원 부장 15명 관리자 3명 해서 18명 중에서 12명이 참석하였다. 많은 분이 같이했으면 좋으련만 기혼 여성분들이 2박 3일이나 같이 하기는 쉽지 않은 부분들이 있었다. 장소는 속초와 설악산 일원이었다.

"교감 선생님, 교장 선생님이 참 교육적이세요."

"왜요, 어떤 점에서요?"

"대부분 부장단 연수를 가면 큰 계획 없이 상조회처럼 움직이는데 우리 교장 선생님은 모든 걸 계획 세우게 하고 교육과정 속에 편성해서 움직이시니 말이죠."

"그런 거 같아요."

"그리고 더 대단한 건 주말 끼고 2박 3일간 연수를 추진하기 어려운데 그걸 계획하고 참석률도 높으니 말이죠."

"그게 다 그 나름대로 우리 학교의 분위기 같아요."

"저도 그걸 느껴요. 참석하시는 분이나 참석 유도하시는 분이나 다요."

오전에 잠시 교장실에 들렀다가 교장 선생님과의 대화 중에서 다시 한번 그 부분을 느낄 수 있었다.

"실장님 갑자기 교육정보부장이 빠지게 됐어요."

"그러게요. 장모님이 입원하신다면서요?"

"네. 그래도 신 부장이 사람이 됐어요."

"왜요?"

"아 처음에 간다고 할 때도 부인 생일인데도 간다고 했거든요, 사적인 것보다 공을 더 중시해요."

"네. 그랬군요."

교장 선생님 마음속에는 공사 구분이 있는데 아직도 주말에 시행하는 부장단 연수를 극히 공적이라고 생각하시는 모양이다.

그러기에 공사 구분 말씀을 하시고 내부 결재를 하여 교육과정 속에 넣고 반성평가회를 하니 말이다.

그러니 참여 안 하는 사람은 성의가 없고 소극적이라고 생각할 만하다.

오후 1시 30분 출발하여 4시간여를 달린 끝에 속초에 여장을 풀 수 있었다. 저녁 시간에는 약속된 바로 숙소 앞 횟집으로 모이기로 했다. 횟집에 들어가니 벌써 방을 예약해 놓았고 한족 벽면에는 플래카드도 걸려 있었다.

"경축 김채선 부장님 정년 퇴임 꽃길만 걸으세요."

내년 2월에 정년으로 퇴임하시는 부장님을 위해 깜짝 파티를 준비한 것이다.

그 철저한 준비와 마음속의 성의라니 김 부장님은 너무 감격스러워 하였다.

"부장님 그동안 교사 생활을 하면서 가장 기억에 남는 일과 가장 후회스러운 한가지씩만 말해주세요."

체육부장이 질문하였다.

"네. 무엇보다 제가 우리 학교에 10년 근무 중인데 첫 부임을 하면서 무언가 학생들을 위해 보람 있는 일을 하자 생각해서 해마다 인문학 특강을 하는데 올해 벌써 8년째네요, 아이들에게 정규 교육과정 말고도 사람이 되게 만드는 일, 희망을 줄 수 있는 일을 했다는 점에 조금은 위안이 되고요. 후회스러운 일은 아이들을 혼내고 사랑으로만 보듬지 못한 것이 후회되네요.”
“그러면 나중에 정년퇴직하시고도 이어지시면 좋을 듯한데요?”
“저는 반대예요, 정년을 한 사람이 학교로 다시 오는 것도 그렇고 이제 부장님에게는 새로운 인생이 있는 거고요. 남아 있는 3학년 부장이나 연구부장이 내년에 이어서 인문학 특강을 해주면 좋을 듯해요. 김 부장님 서운하지는 않죠?”
“서운하지 않습니다. 계속 이어지는 게 중요하죠.”

“그리고 잠깐 막간을 이용해서 한 가지 주제를 가지고 얘기했으면 해요?”
교장 선생님의 발언에 혁신 부장이 ‘아버지’라고 말했다. 나도 아버지의 모습을 잠깐 생각해보았다. 내 생각에 아버지란 존재는 어떤 때는 무대의 주연 같기도 하고 인생의 조연 같기도 한 게 아버지 같다. 우리 아버지는 어땠었나?
내가 기억하는 가장 먼 기억 속에는 아버지가 하루 농사를 끝내고 나를 어깨에 무등 태우고는 집으로 돌아오던 모습과, 담배 팔러 면에 나갔다 오는 날이면 각종 과자를 한바탕 사갖고 오던 일, 비가 오는 장마철에는 논에 나간다며 비옷 입고 논에 나가시던 모습, 시골 슈퍼 앞에서 술을 마시고 웃통 벗고 이단 옆차기하며 호기 어리던 시절. 철없고 술만 먹던 외삼촌이 고주망태가 되어 어머니를 괴롭히면 아버지가 화내며 막아주던 일, 제철 회사에 다니면서 내가 면회 갈 때 구멍 난 작업복을 입고 나를 만나던 일, 내가 군대에 갈 때 논산 훈련소까지 같이 갔던 아버지의 모습, 또 내가 강원도 대포항 여행할 때 아버지를 원망해도 말이 없던 모습 등. 참 다 죄송스럽다.
내가 아비가 되어 아이들을 키우고 가장 노릇을 하지만 아비의 역할이 얼마나 어려운지 모르겠다. 자식의 허물은 다 부모의 허물인 것을, 내가 누구를 원망하고 누구를 책망하랴!

다음날 원래는 바다낚시를 하기로 되어 있는데 일정상 영화를 보기로 했다.
조조 타임에 영화 '조커'를 보았다. 내용은 정신질환이 있는 주인공이 유머러스한 '조커'로 성공했지만, 사회와 자신에 대한 분노를 '이에는 이'라는 방식의 폭력적으로 풀어가는 내용인데 젊은 청소년이나 학생들에게는 이해하기 힘든 오해할 수 있는 내용도 있어 학생이나 청소년이 보는 데는 신중을 기해야 할 듯하다.

부장단 연수를 통해서 새로 알게 된 부장들 간의 끈끈한 의리, 정년 퇴임자를 위한 배려의 마음 그리고 부모님을 다시 한번 생각해보는 시간 등이 다 의미 있는 시간이었다. 부장단 연수를 위해 꼼꼼히 준비하고 추진한 혁신 부장님께도 감사의 말씀을 드리고 싶다.
고생했습니다.

좋은 인연

“오늘 오후 3시 30분에 공성진 교장 선생님 만나 뵈러 학교 들를 거예요, 좀 있다 봬요.”
11시경 되어 메시지가 떴다. 중산고 정 실장이다.
“네네, 좀 있다 봬요.”
우리 학교 근무하던 교감 선생님이 9.1일 자로 관내 중산고 교장으로 발령 났다. 그 학교 행정실장인 진 실장이 교장 선생님에게 인사차 들린다는 것이다. 보통 교장이 발령 나면 교장은 현 교장이 계시기에 학교에 들르지도 못하고 새 학기가 시작되는 9.1일에 첫 출근을 하는게 보통이다. 그러다 보니 새로 부임 받은 학교의 분위기, 학력 정도, 구성원 관계, 학부모 참여도등을 알려 드리고 혹 교장 선생님의 교육철학을 공유하고자 행정실장, 교감, 교무부장이 미리 방문한다. 그런 차원에서 진 실장이 방문한다는 것이다.

잠시 뒤 교감 선생님 인터폰이 울린다.
“네, 교감 선생님?”
“말씀 들으셨죠? 이따 교장실로 중산고에서 오면 그때 알려드릴게요.”
“네네.”
현관을 나와 보니 안내판에 예쁘고 정성스럽게 ‘중산고 선생님 환영합니다’란 글씨와 방문 장소를 화살표로 표시해 두었다. 실로 오랜만에 보는 정성이었다. 대부분의 학교 행사 시 대부분 안내판을 썼으나 최근 코로나로 인해 그것도 자취를 감췄다. 방문하는 사람에게는 기분 좋은 일일 수 있다고 생각했다.
오후 3시쯤 되어 실장님이 사무실 문을 빼꼼하니 연다.

"안녕하세요? 반가워요."
"실장님은 여전하시네요?"
"고마워요."
우리 학교 방문한 세분을 모시고 교무실로 들어갔다.
"중산고에서 방문했습니다."
내가 전 직원이 들으라고 큰 소리로 말했다. 다들 목례 인사를 했다. 교감 선생님이 바로 아시고는 나오신다.
"어서들 오세요."
"자 교장 선생님을 먼저 뵙고 오시죠."
앞장서 교장실로 향했다. 교장실 들러 서로 인사하고는 바로 교감 선생님과 더불어 1층 교무실로 향했다.

나는 행정실로 들어와 다른 업무를 처리했다.
"이따 가실 때 들러주세요."
진 실장님에게만 조용히 말했다. 1시간여 지난 뒤에 진 실장님이 들어왔다.
"어서 오세요? 끝나셨어요?"
"네네. 학교가 너무 좋은 것 같아요, 공성진 교장 선생님이 학교 안내를 해주셨어요, 장미 넝쿨과 아치 있는 포토존과 연못을 보여줬어요."
"너무 좋은데요."
"잘 보셨다니 다행이에요. 공 교장 선생님도 대화가 통하시는 분이니 잘 협의해서 일하면 될 거예요."
"당신도 늘 근무했던 실장님들하고 잘 지냈다 얘기하더라고요."
"맞아요, 저랑도 얼굴 한번 붉힌 적이 없어요."
"아, 그랬군요."
"네네."
"요즘 교복 공동구매 건 때문에 우리는 개인정보 공개 청구가 들어와 과장님이 신경을 많이 쓰고 있어요."

"누가 청구했는데요?"

"입찰에서 떨어진 업체가 회의록과 평가표를 공개해달라 해서요."

"우리도 교복 건으로 어느 업체가 크레임을 걸고 있어요, 업체 중 한 곳이 교차 검토 중에 철수하고 포기했거든요, 그걸 가지고 다른 업체가 부정당 제재를 하라는 둥 계약방해 라는 둥 힘들게 해요."

"아. 그렇게 우기면 참 힘들죠, 고생이 많으시네요."

"네네."

"그런데 교장 선생님이 명패를 해달라는데 어찌해야 할지 모르겠어요?"

"명패는 안 되잖아요?"

"그래서요."

"우리 학교는 그전 근무하던 교감 선생님이 쓰시던 명패가 이름만 갈아끼게끔 제작된 것 있는데 그거 사용하려고 해요. 보통 명패는 가족들이나 모임에서들 해주는데요?"

"그러게요. 뭐라고 얘기해야 할지 걱정이에요."

"사실대로 잘 말씀드려야죠, 이해하실 거예요."

"그래야겠네요, 그리고 교장 선생님이 정년퇴직하시는데 꽃다발도 안된다는 말이 있어서요?"

"꽃다발은 가능할 거예요, 정년 퇴임 내부 계획 세우고 예산 내용 포함하고 품의하면 가능할 거예요, 물론 최소한으로 그쳐야 하지만요."

"네네. 큰 도움이 되겠어요."

"구 선생님은 잘 계세요?"

"그럼요."

구 선생님은 진 실장님의 남편으로 내가 15년 전 근무 당시 같은 학교 근무했던 선생님이었다.
두 분 다 마음이 여리시고 얼마나 나를 걱정하고 염려했던지 늘 고마움을 지금도 느낀다. 다행히 진 실장도 2년 만에 같은 지역으로 들어왔으니 참 잘 되었다.
이제 이곳에서 터 잡고 교육일선에서 학교와 아이들을 위해 차분히 봉직하리라 생각된다,
늘 마음이 넉넉하고 가는 곳마다 여유 있고 관용적으로 직원들을 컨트롤하고 모범이 되는 역할을 하는 진 실장이 참 자랑스럽다.

제3부 학교, 애증의 언어

노트북 도난 사건

“보건 선생님은 50:50으로 해야 한다는데요?”
“누가 50을 내나요?”
“그러게요.”
아침 간부회의 시간에 교감 선생님은 방학 중 보건실 이동과정에서 노트북이 분실된 것에 대하여 보건 선생님은 본인이 변상 비용 전액을 부담할 수 없다고 억울하다고 항변한다는 내용이었다
“인간적인 정에서야 그러고 싶지만, 공무원은 법에 따라 책임과 의무가 규정되어 있는데 내 잘못이 없으니 학교 측에서 50%를 내라면 누가 내놔요?”
“상조회에서 낼 수 있나요?”
“그러게 말이에요 실장님. 다음 주 화요일에 정보화 추진위원회를 개최하여 결정키로 했어요.”
“네. 알겠습니다.”

지난여름 방학 중에 보건실 리모델링 계획이 잡혀 있었고 보건 선생님이 그 주에 나와서 이동하기로 했는데 그 다음 주에도 본인이 연수가 있던 것을 몰랐던 것이다.
내가 공사계획을 알리자 죄송하다며 짐을 옮겨서 공사해 줄 것을 부탁하였고 그날 근무조 교사와 학교 기사분 그리고 3학년 아이들이 주축이 되어 그 실에 있던 비품들을 옮겼던 것인데 공사 후에 보건 선생님은 노트북이 없어졌음을 알게 되었던 것이다.
물론 보건 선생님 입장에서는 아쉬운 점이 많을 것이다. 그러나 중요한 물건이 들어있다면 당연히 잘 잠가놓고 또한 이동할 때 부탁을 하는 그것이 정석일 터였다. 오히려 몇몇 부장들의 얘기를 들어

보면,

“책상 서랍이나 캐비닛을 잠그라는 말을 이제껏 10년 교직 생활을 하면서 한 번도 들은 적이 없어요”

“노트북을 반납하라는 애기도 들은 적이 없어요”라고 본인의 입장을 대변하고 다녀 담당 부장의 원성을 사고 있던 터였다.

“이를 어찌해야 하나?”

교장 선생님도 난처한 입장을 피력하였다. 회의를 마치고 나는 보건 선생님을 찾았다.

“선생님의 어려운 점을 이해합니다. 물론 억울한 점도 있고요. 하지만 제가 보는 견지에서는 선생님이 두 가지 점에서 불리합니다”

“뭔데요?”

“네, 첫째 노트북을 받으면서 교육정보부에 수령증에 사인했죠?”

“네.”

“그건 노트북을 사용하고 나중에 원상으로 반납하겠다는 의미가 있으며, 둘째로 보건실 분임 물품 출납원으로서 보건실 전반의 물품관리에 대한 책임으로 인하여 어려운 상황입니다.”

“그럼 제가 어떻게 해야 하나요?”

“어쨌든 제가 보기에 정답은 나와 있습니다. 원상회복이 문제죠.”

“네.”

“애기를 들어보니 50:50이라는 말도 나오고 자칫 듣는 사람에 따라서는 오해의 소지가 있더라고요.”

“기사분 입장, 교무부장, 교정부장으로서는 서운하게 생각될 거예요.”

“저는 그렇게까지 크게 생각을 안 했어요, 그럴 수도 있겠네요.”

“내일 회의를 한다는데 전 반대에요.”

“회의 없이 결정되는 게 바람직해 보이는데 잘 모르겠어요.”

"실장님이 많이 도와주세요."
"네, 나중에 교감 선생님하고도 말씀을 나눠보세요."
"네."
"교감 선생님 회의 없이 처리하는 것이 나을듯싶은데요, 제가 보건 선생님하고 얘기를 나눠봤는데 죄송하게 생각하고 본인의 잘못된 부분도 인정하고 있던데요. 굳이 2번 죽일 이유가 있나 싶어서요?"
"아 그래요? 그러면 보건 선생님을 대상으로 하는 회의를 하지 말고 노트북 관리 전반에 대한 회의로 돌려야겠네요."
"그러시고 보건 선생님을 불러 다시 한번 얘기를 하시는데 좋을 듯합니다."
"알았어요."

그다음 날 회의는 열렸고 그 회의에서는 예의 그 서운함에 관한 얘기, 일벌백계의 표본, 또한 동료 교사로서의 안쓰러움 등이 교차한 발언들이 있었고 결론적으로는 책임을 안 물을 수가 없으니 노트북을 구매하되 새 제품으로 하면 본인이 부담할 금액이 150만 원이나 되어 너무 개인에게 과중한 부담이 되니 1~2년 된 중고품으로 변상하는 안으로 확정되었다.
그리고 그러한 결과는 교감 선생님과 교정부장을 통하여 본인에게 전달되었다. 일주일 뒤 보건 선생님은 결재하러 와서 예의를 갖추어 인사를 했다.
"실장님 고맙습니다. 많이 도와주셔서."
사람 사는 사회가 본인이 어려운 상황에 부닥치면 순간적으로 입장을 달리할 수 있다. 중요한 것은 원칙을 중시하고 동료를 배려하는 자세가 필요하다.
그럴 때 본인은 주위에서 음으로 양으로 도와주려는 사람이 생기는 법이다.

조직에서 원리 원칙을 중시하면 인심을 잃지 않고 역지사지의 생각이 본인을 발전하는 원동력이 됨을 다시 깨닫게 하는 사건이었다.

경조사 어디까지 해봤니?

"이번 계남중 실장님 상갓집에는 가요?"
"실장님, 저는 그분 잘 몰라요, 그냥 얼굴만 아는 정도죠."
"아, 그렇죠."
"일전에도 집에 행사가 있을 때 연락해도 안 오시더라고요."
"그러면 안 해도 되죠."
"그래서 앞으론 친한 사람들 행사만 가기로 했어요."
"하긴 그래요 부조라는 게 다 주고받는 건데. 이쪽에서 성의 표시했는데 오지 않으면 서운하죠."
"실장님은 가세요?"
"지금 생각 중이에요."

불현듯 3년 전의 어머니 칠순 때 생각이 났다.
몇 년 전 근무하던 중학교 교감이신 분한테 어머니 칠순을 알렸는데 정작 오시지를 않았다.
그 학교 기사분과 그 당시 정년으로 퇴임한 교장 선생님은 기사분을 통하여 성의를 전달하는데 말이다.
얼마나 서운한 생각이 들었는지!
나는 그 학교 근무 당시 교감 선생님 애경사에 두 번이나 갔던 기억이 났다.
"다 소용없구나!"
그때의 서운한 감정을 생각하니 이 실장의 마음을 충분히 이해할 수 있었다.
그런 생각을 하니 그분하고 같이 근무해 본 것도 아니고, 사적으로 소주 한 잔 마신 것도 아닌데 단지 안다는 것만으로, 또한 경사가 아닌 조사라는 이유만으로 부의를 표하는 것도 내심 내키는 일은 아니었다.
"그래, 가지 말자."
그리 결심하고는 그 일을 잊어버렸다.

"정 실장 잘 지내?"
점심을 먹고 막 자리에 앉았는데 재작년 정년으로 퇴임한 이 실장님 전화가 왔다.
"네. 잘 지내요. 실장님은 어떻게 지내세요?"
"그냥 잘 지내지."
"저번 주 일요일에 김 실장 결혼에 왔었어?"
"아니오. 못 갔어요."
"아. 안보이길래."
"네. 일이 있었어요."
사실은 일이 있던 것은 아니었다.
특별히 김 실장님하고 인간관계가 깊다고 생각지 않았기 때문이었으며 한편으로는 그의 정직하지 못했던 공직 생활과 공사 구분이 미약한 인간관계가 딱히 가야 할 필요성이 없다고 느끼게 만든 것이다.
과연 옳은 일인가! 내 판단에 대하여 잘한 것인지에 대한 의문이 꼬리에 꼬리를 문다.
이 실장님의 전화를 통하여 다시 한번 나의 이기심과 얕은 계산속을 생각해본다.
"돈이 아까운 것은 아닌데."
마음을 거까지 쓰기가 싫었다는 표현이 옳았다.

2건의 경조 사례를 보면서 "모든 일은 주고받기가 기본이구나." 하는 생각을 다시 한번 해 본다.

나도 누군가에게 중요하지 않은 인간으로 기억될까 봐 은근히 두려운 마음이 든다. 더불어 앞으로의 행동에 신중해야겠다는 생각을 하게 된다.

학교 배상 책임 범위는?

"죄송합니다. 그러셨군요?"

전화기에 연실 쩔쩔매는 직원을 보고 통화가 끝날 때를 기다렸다가 물어보았다.

"왜 그런데요? 무슨 일이에요?"

"성금 초 학부모인데 아이들 공에 차도 맞고 자신도 어깨를 맞았다고 화가 나서 전화한 거예요."

"아. 그래 뭐라 하세요?"

"학교에서 공이 안 넘어오게 어떤 조치를 해달 라는 것 같아요."

"아, 그래요, 그럼 한번 나가 봅시다."

농구장에 가보니 몇몇 학생들이 점심시간이라 공놀이하고 있었다. 핸드볼 골대를 양쪽에 놓고 공을 차고 있었다. 성금 초 휀스를 보니 울타리 가로 부분이 한 곳 탈락되어 있었다.

"학생들 잠깐만, 조금전에 어느 학부형이 전화 왔는데 공에 차도 맞고 사람도 맞았다는데 너희들이 그런 거니?"

"네. 저희가 사과했어요"

공놀이하던 키 큰 학생이 대답했다.

"어 그래 조금 조심하고 외부인이 다니면 다치지 않게 놀면 좋겠어."

"네."

아이들은 합창하듯 대답했다.

"실장님, 그래서 작년에도 얘기 나왔을 때 휀스를 치자고 했거든요. 별다른 진척이 이후 없었던 것 같아요."

"네. 공놀이를 계속한다면 휀스가 필요해 보이네요."

"재작년에 운동장에 설치한 휀스가 450만 원 정도 들었어요."
"성금초 경계도 그정도 넓이는 되 보이는데요. 체육부장님께 말씀드리고 교장님과 협의해 달라고 해주세요."
"네. 알겠습니다."
오후 되어 다시 직원이 전화를 받았다.
"아까 그 부형인데 교감 선생님 바꿔 달라는데요."
"네네. 연결해 주세요."
"네."

다음 날 아침에 교감 선생님이 메시지를 보내왔다.
"실장님 어제 그 부형이 자고 났더니 머리가 아프다고 학교에서 보상해 달라고 전화가 왔어요. 시설관리를 잘못했다고."
"네? 학교가 보상할 일이 아닌 것 같은데요. 시설관리가 잘못이라면 구조물의 하자로 인한 것이어야 하는데 그게 아니라서요."
"그러네요."
"학생들 개인에게 책임을 물을 수 있을지는 몰라도요."
교장실 들어가서 한번 의논해 보죠.
"네 바로 내려갈게요."
교감 선생님이 내려오셔서 같이 교장실을 들어갔다. 경과를 교감 선생님이 보고하니 교장 선생님이 창밖을 내다보다가 말한다.
"그러지 않아도 2년 전에 성금 초에서 공문이 왔었어요. 휀스를 설치해 달라고, 그런데 보니깐 핸드볼 골대가 있어 그런 거더라고요, 그때 핸드볼 골대를 옮기고 농구만 하라고 한 이후엔 어떤 문제도 없었거든요. 지금 보니 핸드볼 골대가 이곳으로 옮겨와 있어 그런 거네요. 당장 체육부 보고 옮기라 해주세요."
"아, 그런 일이 있었군요, 바로 옮기라 하겠습니다"
교감 선생님이 대답했다.
"그리고 그 부형보고는 학생을 찾아 부모를 연결해 주고 대화로 잘 해결하라 하는 게 좋겠어요."
"네, 알겠습니다"

오후 되어 교감 선생님이 내려왔다.
"실장님, 학생은 찾았어요. 그 부형은 학생한테는 돈을 받을 수 없대요. 공이 넘어오지 않게 휀스 설치하지 않은 문제와 농구장에 핸드골 골대를 방치하여 사고 나게 한 학생 지도 잘못을 걸고 나와요."
"아. 그래요? 그런데 학교가 해줄 방법이 공제회 밖엔 없을 텐데요."
"그러게요, 제가 학년 담임한테는 그거 알아보라 했어요."
"1학년 부장도 막 뭐라 하네요, 학생한테 비용을 청구하는 건 아니라고요."
"학교 측이 잘못이라면 휀스 미설치는 우리만의 문제는 아니고 더군다나 담장 휀스가 초등학교 거라 문제 요인이 있으면 초등학교가 조치해야 하는데 아무것도 안 한 것은 우리 책임과는 멀어요. 학생 지도 분야가 클 텐데 그걸 엮는 건 좋지 않은데요."
"그러게 말이에요."
"부형하고 잘 얘기해 보라 해야죠."
"네네."

월요일이 되어 교감 선생님이 내려오셨다.
"지난 금요일 하고 토요일 그 부형 때문에 한참 머리가 아팠어요."
"아. 일과 이후에도 그렇게 전화했군요?"
"네네. 알아보니 안전공제회서도 보상이 가능한데 그날 당일 치료비 영수증에 한한다네. 늦게 내면 그 원인이 아니라 다른 원인일 수 있다고 판단한대요. 그 부형은 아직 병원도 안 간 모양인가 봐요, 학교가 학생 일이기에 필요한 서류 갖추어 공제회에 신청해 준다 했어요. CCTV와 진료 영수증을 제출해 달라 했어요."

"그거면 보상을 받을 수 있대요?"

"문제는 그날 당일 영수증이 아니면 안 되는데 아직 병원 진료를 안 받아 보상받기 어려울 수도 있어요."

"해결이 좀 잘 됐으면 좋겠네요."

"그러게요."

참 학교는 힘들다.

학생들의 자유로운 교육활동 점심시간에 맘껏 뛰놀 수 있는 환경을 조성하는 것도 중요하고 외부인이 다치지 않도록 주의하는 일도 중요하다. 핸드볼 골대만 없었어도 그런 사고는 발생하지 않았을 것이다. 휀스만 설치해도 그런 사고는 안 났을 것이다.

초등학교에서 공문이 와서 조치하고 핸드볼 골대만 관리를 잘해도 문제는 안 생겼을 것이다. 항상 문제가 생기면 원인을 따지고 인과를 따지게 된다. 중요한 것은 조금이라도 안전에 문제가 있다면 최대한 조치하는 일이다.

내가 교장이라면 나는 핸드볼 골대 이전이 아니라 휀스를 설치할 것이다. 근원적인 문제를 해결하는 것이 문제를 푸는 최선의 길이기 때문이다. 각자의 생각이 다르기에 어느 것이 정답이라 결정하긴 어렵다. 문제를 만들지 않고 문제가 생기면 적극적으로 처리하고 해결하는 일이 중요하다.

담배와 소나무

"아빠."
"어, 왜?"
아침 출근길에 이제 초등학교 2학년인 아들 녀석이 대뜸 없이 부른다.
"저 사람은 왜 담배를 아무 데나 버려요."
아들놈이 가리키는 곳을 보니 신호대기로 정차 중인 40대중반 정도 되어 보이는 아저씨가 차 창문을 내리고는 왼손으로 담뱃재를 '툭툭' 털고 있는 것이 아닌가!
"선생님이 쓰레기를 아무 데나 버리지 말라고 하셨는데."
난 순간 얼굴이 달아오르는 느낌이었다. 술이라도 한잔하고 나 혼자 횡단보도를 건널 때는 아무 데서나 건너지만 아이들과 다닐 때는 꼭 신호등을 준수하고 더군다나 차량 운행 시에는 황색불로 바뀌기만 해도 아예 정차하는 것이 습관이 되었기 때문에 다 큰 어른이 아이에게 잘못된 행동이란 이런 것이다 라고 선전하는 것 같아 같은 어른으로서 창피했다. 결국엔 환경을 해치고 그 담뱃재가 다시 호흡기를 통하여 혈류를 타고 내 심장으로 들어오는 것이 아닌가!

아내가 매일 하는 이야기 중에 결혼배우자로 두 가지를 생각하는데 첫째가 공무원이고 둘째가 담배 안 피우는 사람하고 결혼하는 것이 소망이었단다. 가끔 아내를 보면서 하는 말이 "당신은 소원을 다 이루었네." 하면 그녀는 빙긋이 웃는다.
나야 담배를 피우지 않아서 그 사유야 알 수 없지만 이제 성숙한 어른으로서 길거리에서 도보 중이나 자동차 운전 중에 공용도로에 담뱃재를 버리는 행동은 어른스럽지 못한 것 같았다.
"교감 선생님. 안녕하세요? 한 바퀴 돌으시나 봐요."
"네 실장님, 순회 중입니다."
아니나 다를까 교감 선생님 한 손엔 재활용 봉투가 다른 한 손엔 집게가 들려있었다.
재활용 봉투엔 과자봉지, 아이스크림 껍질, 휴지 등이 1/4정도 담겨 있었다.
"이젠 아이들이 확실히 덜 버려요."
"다행이네요, 교감 선생님이 늘 쓰레기 줍는 것을 보면 좀 안쓰러웠는데요."
"아니에요. 이렇게 함으로써 아이들도 조심하고 선생님들도 아이들 지도에 도움을 주게 될 거예요."
"참. 대단하세요"
나도 어쩌다 복도나 교사 주위를 돌다 보면 학생들이 버린 과자 껍질이나 아이스크림 막대 등을 종종 볼 수 있었다.
그러나 대부분의 경우 선뜻 줍기가 쉽지 않았다. 쓰레기를 줍는데도 용기가 필요했던 모양이다. 좋은 일은 전파가 잘 되는가 보다. 교감 선생님의 모양을 흉내내어 나도 복도에 있는 쓰레기를 용기내어 한번 주워보니 저절로 휴지를 볼 때마다 줍고, 운동장이나 주차장에 아주 지저분하고 큰 마대나 신문지 정도는 이제 스스럼없이 걷어 쓰레기통에 넣을 수 있게 되었다. 이게 선한 영향력이 아닌가 싶다. 주변에 학생들도 가끔 쓰레기를 줍는 모습도 여기저기 보인다. 작년과는 많이 달라진 모습이다.
"실장님, 한가지 의논드릴 게 있는데요."
우리 학교 화장실 용역청소업체 직원이 내게 물어온다.
"뭔데요, 말씀하세요"
"화장실요."
"화장실 어디가 고장 났나요?"

"아뇨, 그 일 말고요."
"다른 일이군요."
"화장실에 가끔 담배꽁초가 자주 보여서요."
"아, 네 학생이 그런 건가요?"
"학생 같기도 하고, 직원분이 그런 것도 같은데 잘 모르겠어요."
"작년엔 이런 일이 없어서요."
"학교는 전체가 금연 구역이라 교직원 중에는 화장실에서 담배를 피우는 분이 없을 거예요. 아마도, 학생들이 몰래 피나 보네요."
"제가 교직원 회의 시 전달하고 학생부장님께 다시 한번 학생지도를 부탁할게요. 또 어려운 점 있으시면 말씀 주세요."
내가 자랄 때도 그랬지만 요즘 중학생 중에도 담배를 피우는 학생들이 있다. 건강에 얼마나 치명적인 줄도 모르면서 멋있어 보이니깐 담배를 피우는 모양이다. 그것도 선생님 눈을 속이고 가슴을 졸여가면서 말이다. 몇 년 전에 있던 학교에서는 학생들이 몰래 담배를 피우다가는 교직원들과 눈만 마주치면 얼마나 황급히 몸을 피하던지. 어른들은 정작 담배를 끊으려고 새해만 되면 금연 결심도 하고 금연 학교도 다니기도 하지만 한번 맛 들이면 끊기 어렵다지 않는가! 애초부터 입에 대지 않도록 하는 길이 최선인 거 같다. 우리 아이들도 그 담뱃재 피해를 알 수 있는 기회가 많아지면 좋겠다. 담배를 피우지 않는 것이 자기 몸을 깨끗이 한다는 것을 인식하는 계기로 삼으면 좋으련만.

일주일에 1회 정도는 학교를 순찰하는데, 이는 시설물의 안전진단 및 파손된 부분의 원상 복귀, 위험 요소의 파악, 전체적인 학습 분위기나 대부분 시간을 학교라는 울타리에서 생활하는 교직원들의 애로사항을 적극적으로 해결하기 위함이다. 교내 울타리에 노오란 개나리가 피어나고 하얀 목련이 다소곳이 손짓하듯 흔들리면 어느새 봄의 한가운데 서 있는 내 모습을 발견하곤 한다. 순찰 중에는 운동장이나 교사 주위도 한바퀴씩 도는데, 현관 뒤쪽에는 모양이 좋은 소나무 한그루가 있는데 작년 1년 동안 시름시름 하기에 하자 기간을 알아보니 1년 정도의 기간이 더 남아 있었다. 작년 이맘때는 윗부분만 덩그러니 쫑긋쫑긋 이파리가 살아있고 아랫부분은 누렇게 변하고 떨어져 마치 원형탈모증 환자 머리모양 같아서 내심 죽는 게 낫겠다 싶었다. 죽기만 하면 새것으로 바꿔 달라고 얘기할 참으로 내가 나무 옆에 서 있는 모양을 보노라면 교무부장은 늘 말하곤 한다.

"그 소나무 막걸리 한 사발 먹여봐요. 그럼 잘 살더구먼."

"아니에요, 워낙 볼품이 없어서 그냥 죽이려고요."

"에이, 그래도 생명인데 어떻게 죽도록 내버려 둬요."

"큰돈 주고 산건데 현관 뒤편이라 오시는 손님들도 보고 그럴텐데 영 가망이 없어 보여요. 조경업체에 연락해서 새로 심으라 해야겠어요."

"그 나무도 꽤 비쌀 텐데."

"한 150~200만 원 정도 하겠죠."

그 참에 바로 조경업체에 연락해보니 나뭇잎이 다 떨어져야 이식이 쉬울 것 같아 가을에나 보식하자고 했다.

지난 11월경에는 "이제 이파리가 다 떨어졌으니 새로 심으시는데 낫지 않겠어요."

했더니만 조경업체서는

"차라리 이 겨울만 지나 보세요. 봄이 되어서도 시원찮으면 제가 새로 심어드릴게요. 꼭 약속드리겠습니다."

나무에 이상이 있다고 연락하면 지난주에서도 한달음에 달려와 보곤 했기에 믿기로 했다

"그렇게 한번 해 보시죠."

그러던 것이 이제 봄이 되면서 새순이 싱싱하게 올라오고 밑에

부분은 맘에 들지는 않지만 어느 정도 잎도 나고 죽이기엔 아까운 지경이 된 것이다.

"작년에 교체 안하기 잘했네요."

"이렇게 자랄 줄 몰랐습니다. 하마터면 아까운 생명을 죽일 뻔했네요."

학교생활 18년 차 때로는 아기자기한 모습으로 혹 정감 있는 모양으로 날 보듬어 주는 나의 터전, 이곳에서 나는 우리 학생들의 미래에 대한 꿈을 본다. 더불어 존경스럽고 모범스러운 여러 참 스승의 모습도 보고 동료애와 끈끈한 우애를 느낀다. 내 인생의 최고 목표를 '행복'에 두고 있기에 내 마음속에서부터 진솔하려고 애쓴다.

"불꽃놀이가 아름다운 이유는 그 시간이 짧기 때문이란다."

우리네 인생도 잠깐인 듯싶다. 벌써 내 나이 마흔을 훌쩍 넘었으니 말이다. 예전 같으면 모든 유혹에 굴복하지 않는다고 했는데 난 아직 먼 듯하다. 다만 성철스님이 말씀하신 조심할 3가지 병인 재물병, 여색병, 이름병중에 가장 무서운 병이 이름 병이라 했는데, 이는 명예욕을 이야기 하는 것으로 해석된다. 최소한 이 3가지 병에는 연연치 않은 듯하여 내심 안심은 된다.

지구온난화로 인하여 불과 몇십 년 사이에 많은 지구상의 식물들이 멸종할 수 있다는 방송 보도를 가끔 접하게 된다. 우리 주변에 있는 사소한 것에의 관심은 곧 우리를 보호하고 살찌우는 것이라 생각한다. 오늘도 거리를 지나며, 도로를 지나며, 가로수를 바라보며 느껴보고 의식이 늘 깨어있는 사람이 되자고 다짐해 본다.

옛 정이 뭐길래, 동료 직원 학교 방문

"실장님, 오늘 신지연 실장과 안청연 과장이 방문하겠답니다."
"아. 몇 시에 온대요?"
"11시 반경 올 듯해요."
"식사 장소는 설렁탕집으로 정해 놨어요."
"아. 네 잘했어요, 고맙습니다."

1.1. 일자로 이 지역에 들어오니 그 전에 같이 행정실에 근무했던 직원들이 종종 찾아온다. 지난주에는 원진고 박미정 선생님이 다녀가더니 오늘은 신 실장과 안과장 두분이 다음 주는 강기원 실장도 방문한단다. 또 어제 전화 온 바로는 박성실, 은원성 실장도 한번 날 잡아 들린단다. 고마운 일이다. 내가 그들에게 그리 큰 도움을 주거나 사는 데 있어 멘토 역할을 잘 한 것도 아닌데 이렇듯 잊지 않고 연락해주고 찾아오니 고마울 따름이다.

11시 30분 되어 두 분이 방문하였다.
"반가워요."
"안녕하세요?"
"그럼요. 여기 신지연 실장은 유인초, 안청연 과장은 정산고 과장이에요."
"반갑습니다." 행정실 식구들과 서로 인사한다.
"실장님, 편안하시고 좋으시죠, 가까운 곳으로 다시 오셔서?"
"그럼요, 너무 좋아요, 와보니 직원들도 좋고 교장 선생님도 좋다고 소문나서 마음 놓고 있어요, 또한 btl 학교인데 소장님이 참 잘한다네요."

"다 실장님의 복이에요."
"고마워요, 이렇듯 먼데까지 일부러 찾아와 주고요."
"아녀요 당연한걸요."
"두 분 다 외출 달고 왔겠네요?"
"아니요, 오늘 하루 연가 냈어요. 울 실장님께는 비밀로 해주세요?"
안청연 과장이 웃으며 말한다.
"네네. 알았어요."
"전 오늘 반일 연가와 조퇴 냈어요."
"아. 네 다들 학교 바쁘실 텐데."
"아녀요."
"자 식사 장소로 옮깁시다."
"차는 제 차로 갈까요?"
"아니요, 실장님 제가 모시고 갔다가 다시 오겠습니다." 신지연 실장이 재빨리 운전대를 잡는다.
"고마워요."

10분 정도 걸려 돌솥 설렁탕집에 도착했다. 사람들이 일부는 줄도 서 있었다. 우린 바로 자리를 잡았다.
국물이 나왔다.
"이건 진짠데요, 진하고 담백해요"
"정말 담백한데요."
국산 한우인 것 같았다. 그러기에 이 이른 시간에 자리가 꽉 찼고 일부는 대기하고 있으니 말이다.
"자, 제가 사는 거니 맛있게들 드세요."
내 말소리에 다들
"잘 먹겠습니다."
다들 합창한다. 감자전에 설렁탕을 한 그릇 먹고 누룽지까지 먹으니 속이 다 든든하다.
"아. 맛있네요."
"그러네요. 실장님."
"자 학교를 향해 고고!!"
신지연 실장은 차를 몰아 조심스레 학교로 향한다.
"이런 잘 못 들어왔네요. 아까 그 큰길을 타야 하는데"
"그냥 가봐요, 네비가 길을 안내하니."
"네. 그런데 길이 좁네요."
"농로라 그래요, 찬찬히 움직여요."
우린 작은 농로를 지나 아슬아슬한 다리를 건너 네비가 안내하는 대로 길을 따랐다. 만약 반대쪽에 차라도 한 대 올라치면 뒤로 후진해야 하는 구간이다.
농로 폭은 좁아 혹시 바퀴가 떨어지지 않을까 싶어 초보인 신지연 실장은 진땀 흘리며 운전했다.
한 2킬로 정도 달리나 다시 우리 학교를 좌측으로 끼고 500미터 전방에 합류하는 길이 보였다.
"다 왔네요."
"우리 학교 일부러 구경시켜 주려고 돌은 거죠?"
"그렇게 됐네요, 호호"
그 길을 따라 학교에 무사 도착하였고 직원들은 주차장에서 헤어졌다.

이렇듯 오랜 세월이 지났는데도 아직도 옛 추억을 생각하고 방문해 준 데 대해 감사하게 생각한다.
더불어 우리 후배들에게 선배로서 자질을 보이고 편의를 도모할 수 있는 선배가 되자고 다짐해 본다.
늘 긍정적인 모습으로 행복함만을 추구하는 사람이 되고 싶다.

직원의 작은 선물

“이번에 발령 난 이은수 계장이 직원들에게 각자 우산을 선물해 줬어.”

“아, 그래요?”

“보니까 싼 것도 아니더구먼, 돈 좀 들었겠더라고.”

“아. 대단하네요.”

“그러게.”

엊그제 30일에는 이 계장이 마지막 근무일인데 오후 4시경 되어 주섬주섬 무엇을 꺼내더니 눈앞에 들이민다.

“감사합니다. 작은 것 준비했어요.”

나를 비롯해 우리 직원 5명에게 포장한 선물을 내놓는다.

“우산이에요, 쓸 때마다 제 생각 해주세요.”

“우아, 노랑색이네요.”

선물 포장을 벗기다 말고 과장님이 환한 웃음을 짓는다.

“그럼 다 포장을 벗기고 선물을 봐야겠네요.”

포장을 벗기니 다 다른 색 우산으로 준비했다.

“실장님은 곤색, 이슬 주무관님은 분홍색, 사회복무요원인 영석 씨는 검은색 했어요.”

“그럼 연정 샘은 파란색을 했겠네요?”

이슬 주무관님 말에 계장님은 싱긋 의미 있는 웃음을 지어 보였다. 연정 샘이 포장을 벗기자 예쁜 파랑의 우산이 나왔다. 각자의 좋아하는 색을 알기에 다양하게 색을 준비했다. 참 센스가 있다.

“우리 다 잘 쓰겠습니다. 감사합니다.”

손 편지도 주었는데 초등학생풍의 하트와 정형화되지 않은 손 편지가 정겹다.

"운천고를 떠나는 아쉬운 이유 중 하나가 실장님과 겨우 6개월 밖에 근무를 못 하고 떠난다는 거예요. 좋은 관리자로서의 면모를 더 많이 보고 배워야 하는데 벌써 헤어져서 아쉽고 안타까워요. 짧은 시간이지만 실장님과 같이 근무해서 너무 행복했고, 감사했습니다. 실장님의 멋진 모습과 생각들이 앞으로 살아가면서 많은 도움이 될 것 같습니다."

감동이었다. 내가 크게 영향을 준 것은 없지만 무엇이라도 조금은 마음으로 느낀 바가 있는 듯싶어 뿌듯했다. 우리가 존재하는 목적이 무엇보다 아이들의 학습의 장인 학교를 안전하고 즐거운 곳으로 만드는 일이고 그 속에서 각자의 업무를 열심히 하는 것이라는 인식을 조금이라도 한 듯하여 고마웠다. 행정실장으로서 첫발을 내딛는 이은수 계장이 전진적이고 역동적인 학교 운영을 통해 훌륭한 학습환경이 이뤄지는 유림초를 기대하게 된다.

점심시간에는 교육공무직원 간담회가 있어 행정실 직원들 다 나가서 밥을 먹었다. 보리밥집에서 청국장, 보리밥, 칼국수를 시켜 먹었는데 참 맛이 있었다. 계산할 때 되니 계장님이 학교 카드로 결제한다.

"계장님 잘 먹었습니다. 가시는 분이 식사도 한 턱 내주시고."

"네. 맘껏 드세요. 하하."

어차피 학교 업무추진비로 결제했는데 마치 이은수 계장이 사주는 듯 기분이 좋았다. 점심을 먹고 밖에 나오니 과장님이 한마디 한다.

"가다가 커피집 들러 테이크 아웃 해가죠?"

줄줄이 삼삼오오 모여 커피집을 향했다. 커피 향이 진하게 나는 게 맛나게 보였다. 더군다나 오늘은 날도 약간 흐려 커피 맛이 더 달게 느껴질 터였다.

아니나 다를까 주문을 과장님이 받고 결재는 이은수 계장이 했다.

"아구 계장님, 점심도 사고 커피까지 쏘시나요?"
"그럼요, 맛있게들 드십시오."
과장님 카드로 계산했지만, 기분은 좋다.

사무실에 들어오니 이 계장 또 무언가를 주섬주섬 내놓는다. 과자류가 한 뭉치다.
"실장님 영양갱 좋아한다 해서 영양갱과 영석씨 초콜릿, 과장님 오징어와 땅콩 연정 샘 비스킷, 이슬 주무관님 빵 두고두고 드세요."
"많이도 샀네요."
"얼마 안 돼요. 30만 원어치 하하."
또 유머가 반짝인다.
"대신 제 후임자한테는 말하지 말고 드세요. 부담 느낄까 봐요."
"아녀, 얘기할 건데요, 하하."
직원들이 일부러 어깃장을 부린다.
"네네. 맘대로 하세요."
참 고마운 일이다. 서로를 조금 배려하고 마음적으로 소통하는 것이 얼마나 소중한 일인가. 같이 근무했던 그간의 기억을 생각하고 좋아하는 색깔과 좋아하는 과자류를 생각해서 준비하고 사 온다는 것이 쉬운 일은 아니다. 생각은 할 수 있지만 실행하는 사람은 흔치 않기 때문이다. 이제 좀 멀리 근무지를 옮겨 다니게 되겠지만 늘 씩씩하고 빈틈없듯이 앞으로도 큰 괴로운 일도 슬기롭게 헤치고 원만하게 행정실장으로서의 역할은 물론 학생들과 교직원을 위한 훌륭한 교육행정을 펼칠 수 있기를 소망해 본다. 이 계장의 더 멋진 앞날을 위해 기도해본다.

학교로 퍼진 코로나19

“오늘 점심을 코로나19를 이기고 출근한 최 과장, 김 주무관과 함께하는 게 어때요?”
교장실에 들어가니 교장 선생님이 점심을 같이하자 한다.
“그럼 행정실과 교무실 교육공무직원 그리고 영양사도 같이하는 게 어떨까요?”
“그렇게 해요.”

최 과장과 김 주무관은 지난주 월요일에 코로나19로 감염되어 8일 만에 학교에 다시 나왔다.
일주일 전
“실장님 오늘 미리 가서 코로나 검사를 해봐야겠어요. 기침도 하는 게 이상해서요?”
“빨리 가보세요. 그리고 결과를 알려주세요.”
“네네.”
퇴근하는데 전화가 왔다.
“실장님, 저 양성이라네요.”
“아, 그러세요. 그러면 먼저 내일 병가를 내시고 의사 처방을 잘 따르세요.”
“알겠습니다.”
그날따라 아침에 나는 커피를 한잔하고 있는데 평상시 같으면 차 한잔 마시고 시설관리실에 올라갈 분인데 김 주무관은 그냥 올라갔다. 더군다나 시골에서 가져왔다며 김치전도 한 뭉치 내놓고는 갔다.
교장 선생님이 그날은 오후에 출근하기로 되어 있어 점심 식사를 같이하자고 인터폰 했더니 오늘 다른 분하고 선약이 있다 했다. 그나마 다행이었다. 우리 직원들과 김 주무관과의 직접적 접촉은 그리 크지 않았던 것 같다. 다만 그 전주 목요일에 직원들끼리 김 주무관까지 끼어 점심을 시켜 먹었다. 물론 나는 그날 교장님과 식사하러 갔었다. 그 다음날 행정실 직원들 식사를 교장님이 사주신다고 하여 모두 모여 같이 식사했다. 그래도 우리 직원들이 걸리지 않은 게 신기했다.
그리고 오후 6시 넘어 최 과장의 전화가 온 것이다.
"실장님 김 주무관이 코로나라 하여 저도 아침부터 몸이 안 좋길래 검사했더니 양성이라네요."
"아, 그래요? 일단 병가 내시고 푹 쉬도록 해요, 학교 일은 너무 신경 쓰지 말고요."
"네."
전화를 끊고 생각하니 계장님 생각이 났다.
오늘 아침에 출근하자마자 컨디션이 안 좋다며 10시쯤 병 조퇴를 했기 때문이다.
"틀림없이 계장님도 코로나 걸린 것 같은데." 혼자 생각했다. 다음 날 아침이 되어 출근해 차를 한잔 마시고 있으니 계장님 문자가 왔다.
"실장님 어제 김 주무관 애기 들었어요, 아침에 코로나 검사하고 학교 출근하겠습니다."
"네네. 그리하세요."

11시 조금 넘어 계장님이 밝은 얼굴로 출근했다.
"검사했는데 저 코로나 아니래요."
"네네. 천만다행이에요, 우린 어제 계장님 컨디션 안 좋다 해서 영락없이 코로나 걸렸는지 알았어요 "
"다행이에요."

코로나가 아직도 학교 현장에 기승을 부린다.
이제 방학이라 아이들이 전염될 우려는 없는데 우리 교직원들은 간간이 환자가 되곤 한다. 언제나 되어야 코로나 일상에서 벗어날 수 있을는지 하루빨리 마스크 벗고 힘차게 뛰노는 아이들의 모습을 보고 싶다. 아침이 되어 두 분에게 건강은 어떤지 문자를 넣어봤다.

"기침을 많이 하고 목이 많이 아파요."

"머리가 많이 아프고 기침을 심해요."

"약들 잘 챙겨 드시고 식사 잘 드시도록 해요."

두 사람에게 문자를 보냈다. 그 다음날도 비슷한 문자를 넣었다. 조금은 상태가 그 전날 보다 호전됐다고 두 분 모두 얘기한다. 다행이었다. 그러다 그 두 분이 오늘 완쾌되어 출근하게 된 것이다.

"과장님 얼굴이 반쪽이 됐어요? 많이 힘들었지요?"

"네네. 실장님 아주 힘들었어요, 머리가 많이 아프고 아직도 미각을 못 느끼겠어요."

"아 그래요. 티비에서만 그런 사례를 봤는데 참 힘들겠네요."

"점점 좋아지겠죠."

"그래요. 빨리 완쾌되기를 바라요."

"김 주무관님은 많이 아팠어요?"

"네, 저는 목이 찢어들 듯이 아프고 힘들었어요, 아직 기침도 완전히 없어지진 않았어요."

"두 분 다 고생 많이 하셨어요."

코로나가 사람에 따라 증세가 다 다르고 또 백신을 맞았다고 해서 걸리지 않는 것도 아니다. 나 같은 경우도 3차 맞고 한 달 약간 지나서 확진되었으니 말이다. 그러다 보니 4차 백신에 관한 관심도 사실 시들해지긴 했다. 그 전에 줄 서서 의무적으로 맞다가 이제는 50대 이상 희망자만 맞다 보니깐 맞기도 어렵거니와 맞으면 확진자가 안돼야 하는데도 되고 백신에 의한 피해는 너무 크고 하여 이번에는 맞지 않을까 하는 생각도 있다.

"오늘 점심은 코로나를 이기고 우리 곁에 다시 오신 최 과장과 김 주무관을 환영하고 방학인데도 매일 나와서 애쓰는 여러분들을 격려하기 위한 자리입니다. 조촐하지만 맛있게 들어 주세요."

"네. 감사합니다."

오늘 점심을 먹고 다음부터는 어느 누구도 더 이상 확진자가 나오지 않았으면 좋겠다. 현재 우리나라 확진자 숫자가 2천만 명을 넘었다. 5명 중 2명이 확진자라는 얘기다.

모두가 건강하고 코로나가 교육 현장에서 빨리 종식되는 마음을 담아 외쳐본다.

"코로나야 물렀거라, 썩 꺼지거라."

학교 MOU 체결 협의

"오늘 11시에 지역 농, 축협 기획조정 실장님과 지점장이 방문할 예정입니다. 안건은 우리 학교와 MOU 관련입니다."
교장 선생님 메시지가 떴다.
"네. 알겠습니다."
지난달 농업계고교 간담회를 다녀와서 교육부, 농협중앙회, 교육감 간 농업계고 MOU를 체결했는데 각 단위 학교도 개별적으로 농, 축협과 MOU를 체결해 학생들에게 도움이 되는 방안을 마련하라는 내용이었다.
우리 학교 경우 관상원예과가 농업계열이라 우리도 MOU 체결 관련 협의를 하게 된 것이다.
MOU는 대개 정치인들이 많이 쓰는 거라 구속력이 없기에 별반 좋아하지는 않지만 우리 학교의 경우 지역적 특색이 있기에 도시의 학교하고는 사정이 다르다고 판단했다. 축협 지점장, 담당 팀장과 인사를 나누고 핵심 얘기를 끌어갔다.
교장 선생님은 그간의 MOU 추진 배경, 필요성, 그리고 여러 사업에 관한 간단 설명을 했다. 조합장과 팀장은 우리 지역사회에 큰 힘이 되겠다고 말했다.

"제가 47회인데요, 그 당시는 운현고는 지역 명문이었어요. 지금은 실력이 그에 따르지 못해 아쉬운 감이 있어요."
기획조정실 팀장이 말했다.
"그러게요, 인근 신도시에 좋은 시설을 갖춘 학교와 교통이 좋은 이유도 있는 것 같아요."
"그럴 수 있죠."

"엊그제 학부모님 말로도 학생들이 삼익아파트에서는 거의 타기 어렵다고 하네요, 아침에 손님들로 꽉 차 있어서 말이죠."
교감 선생님이 보완 설명한다.
"아, 그럴 수 있겠네요."
"우리 학교 교통이 좋아지는 것도 우수 학생 유치에 도움이 될 듯합니다."
"네. 저희 전문계 학생들을 위한 사업 범위 예컨대 첨단 농산업 연수 기회 제공, 장학금 지원 확대, 학생 취업, 창업 역량 강화 프로그램 운영. 지역 중심의 일자리 창출, 학생 대상 교육 등 다양한 방면이 있을 것 같아요."
"네 교장 선생님 의견은 대개 6가지 큰 틀을 말씀하신 것 같아요. 그 구체적인 것은 행정실장님과 의견을 나누어 보는 게 좋겠죠."
"네네. 그렇게 하시죠. 저도 오늘 회의자료를 기본으로 우리 담당 부서와 의견을 거쳐 MOU 초안을 만들어 보겠습니다."
내가 추진 방향에 대한 의견을 말했다.
"네네. 알겠습니다."
"우리 학교가 학생들도 도움이 많이 필요한데 이렇듯 선뜻 오시고 대화해 주심에 감사드립니다."
교감 선생님도 간단한 인사를 한다.
"우리 학교를 졸업하시고 이 지역에서 중심 역할을 해주시고 또한 우리 아이들이 더 성장할 수 있도록 MOU 체결에 선뜻 응해 주셔서 감사드립니다. 우리 학교도 실력 면에서도 좋은 학교를 갈 수 있도록 최선의 노력을 기울이고 있습니다."
"기왕이면 우리 후배 학생들이 좋은 여건에서 공부할 수 있도록 다양한 루트를 만들어 보겠습니다."
팀장도 의지를 담아 말했다.
"최근엔 스마트 팜 농장 구축을 위해 노력하는데 교육청에서는

2개교를 지원하는데 아마도 더 큰 전문계고로 갈 듯합니다. 또 다른 루트로도 스마트 팜 구축사업을 위한 제안서도 준비하고 있습니다."

"최근에 저희 내부에서도 스마트농업과가 생겼는데 그 과장님하고도 잘 의논해 보겠습니다."

팀장이 제안했다.

"네. 감사드립니다."

"제시된 유인물을 참고하시고 여러 영역 중에서 축협이 지원가능한 교육적인 부분에 집중해 주시면 더욱 도움이 되겠습니다. 첨단 농산업 연수 기회 제공, 농업계고 고등학생의 영농정착 지원방안과 장학금 지원 등, 학생, 교직원에 관한 교육지원, 지역과 연계된 발전방안도 같이 논의해 주시면 좋겠습니다."

"네. 잘 알겠습니다."

교장 선생님의 부탁에 기획조정실 팀장은 시원하게 대답했다.

" MOU 체결 시기는 1학기는 좀 어려울 듯하고 최소 2학기 초에는 초안을 완료하고 다시 의논하는 것으로 하면 좋겠습니다."

"네. 잘 알겠습니다. 그렇게 하시죠."

현재 학교는 다양하게 변하고 있는 것 같다. 이제껏 지역과 동떨어져 교육과정에만 충실하던 과거를 벗어나 이제는 마을, 지역과 연계하는 MOU 단계까지 와 있는 것이다.

교육이 단지 가르치고 배우는 것을 떠나 지역과 상생 협력하여 마을 교육이 학교로 들어올 수 있는 기반을 마련하는 단계에 와있는 것 같다.

향후 학교 교육은 특정 자격을 가진 폐쇄적인 주입식 교육에서 다양한 가치관과 경험을 가진 사람들이 함께 지도하고 만들어가는 교육으로 진보하리라 생각한다.

그것이 곧 우리 교육의 경쟁력을 높이는 길이 될 것이다.

어느덧 성큼 다가온 교육의 현주소를 보면서 우리 학교가 유연성을 갖추지 않으면 지역과 사회로부터 자유로울 수 없다는 생각을 갖게 한다.

학교 안의 화재, 낯선 아이를 조심하라

"어젠 별일 없었죠?"

"네. 실장님."

이제 막 출근해서 자리에 앉는 김과장에게 물었다.

어제는 지방 연수라 학교를 비웠었다.

"그런데 실장님, 어제 교감 선생님이 저녁에 문화센터에서 급하게 학교 전화를 받고 가셨어요. 무슨 일인지 궁금 하더라고요?"

김 과장과 교감 선생님은 같은 문화센터에서 매주 한 번 그림을 그린다.

"학교 일이시겠죠? 급하게 가신 거면."

"네. 학생 사안 같기도 하고요, 잘 모르겠어요. 이따 사무실에 오시면 물어보시는 게 좋을 것 같아요."

"네. 그게 좋겠네요."

커피를 한잔하고 있는데 교장실에서 인터폰이 울렸다.

"실장님. 요즘 당직 기사는 근무를 잘하나요?"

평소 당직 기사에 대해 비호의적인 생각하고 계신 것을 알고 있었다. 그 전에 늦은 시간에 학교를 방문한 적이 있는데 그때 당직자가 자리를 비웠다고 오해하고 계신다.

"네. 아침마다 시설관리실 김 주무관과 미팅하는데 당찍자는 보통 9시에서 9시 5분 정도 퇴근하고요, 별다른 특이점은 없는 것 같아요."

"다름이 아니라 어제 저녁 7시경 돼서 2학년 1반 학생이 학교에 들어와서는 방화하려다 미수에 그친 일이 발생 했어요."

소방 안전관리자인 나는 긴장이 되어 물어보았다.

"네? 아니 어쩌다 그런 일이 다 있었어요?"

"보고 받은 바로는 그 학생이 정신적으로 조금 문제가 있는데 아빠랑 병원에서 상담받다가 갑자기 사라졌대요. 백방으로 부모가 다 수소문하고요. 알고 봤더니 학교로 밤에 온 거예요."

"아. 상담받고 있군요? 그럼 집에서는 그 학생이 정상적이지 않은 것은 알고 있었네요."

"그렇죠. 다행히 학생부 공 선생님이 그날 5층서 학생 지도를 담당했는데 화장실을 가다가 그 학생이 복도에서 불을 지르고 있는 것을 발견한 거예요."

"천만다행이네요, 그 선생님이 아니었으면 큰일 날 뻔했네요."

그 말을 듣는데 내가 다 조마조마했다. 소방 안전관리자인 나는 학교에서 화재가 나면 민사상, 형사상 책임은 물론 행정책임도 같이 진다. 이러한 이유로 늘 화재엔 민감하다.

"그러게 말이에요. 그래서 말인데요, 당직자에게는 순찰을 그 전보다 철저히 하고 정문도 다 개방하지 말고 다시 차가 드나드는 쪽으로 한군데만 개방하도록 하면 좋을 것 같아요, 교실 출입문 개폐 여부도 좀 더 확인해 주고요."

"네. 교장 선생님 당직자에게 잘 지시해 놓겠습니다."

점심시간이 되어 교감 선생님이 행정실에 들어오셨다.

"실장님, 어제 운이 좋은 거예요, 하늘이 도왔어요."

"그러게요, 얘기 들었어요. 그 학생이 화재를 내거나 칼로 무슨 일이라도 벌였으면 어떡할 뻔했어요?"

요즘처럼 도로나 공공장소에서 묻지 마 폭행과 살인이 난무하는 사회 분위기 속에서 학생들은 더더욱 안전이 담보되어야 한다. 학생들이 사용하는 장소가 화재로 불안해지면 학생들은 수업에 집중하기 어렵다. 더군다나 우리는 인문계 고등학교로 학생들의 성적도 상위권이다.

"그러게 말이에요, 평상시 8시 반까지 늘 남는데 어제 오랜만에 문화센터에 갔는데 뭔지 불안하더라고요. 그러더니 어제 같은 일이 있었네요. 나쁜 예감은 빗나가는 적이 없는 것 같아요."

"그래도 참 다행이에요, 들어보니 그 학생은 정신과적 치료가 필요할 것 같아요."

"맞아요. 그전에도 상담실에 상담을 몇 번 했나 봐요, 7월까지는 별문제 없었던 것 같은데 8월 말부터 상태가 나빠졌대요."

"어제 소방차도 오고 119도 왔다면서요?"

"그럼요, 경찰차도 온 걸요, 경찰은 조사를 해보겠다고 증거물들을 다 가져갔는데 아마 학생이 정신 병력이 있어 큰 처벌은 없을 거라 하더라고요."

"어제 남아 있던 선생님들이 고생했네요."

"그렇죠, 학생이 숨어 있어서 찾느라고 애를 먹었어요, CCTV도 확인해 보고 다들 고생했지요. 학생을 어떻게 처리해야 할지 걱정이에요."

"그러네요, 그 학생은 입원이 필요한 것 같네요. 정신적 문제 해결이 급선무 같아요. 정신적 안정이 필요해 보여요."

"맞아요."

"학생이 입원하지 않는 한 학생과 교직원이 불안해 할 것 같아요."

"맞아요, 일단은 학생들에게는 알리지 않고는 있어요."

"그리고 아침 회의 때 교장 선생님과 의논했는데요. 하교 후 2. 3층 교실 출입문을 걸어야 할 것 같아요, 2층은 잘 잠근다고 하더라고요."

"제가 코로나 때문에 열어놓고 가라 했는데 이젠 잠그라 해야겠네요. 교실에 들어가 방화하는 일이 없도록 해야겠어요."

"그게 좋겠어요, 교실 안에서 문을 잠그고 화재를 내면 대책이 없어서요."

“네. 알겠습니다.”

점심 지나서 2시경에 긴급회의가 있었다. 나도 들어가서 애기를 들어보았다.

“학생이 아니고 사회인이라면 어제 일은 큰 사건이에요. 무단 침입에, 방화미수, 위험물 소지까지 말이죠. 어제 일에 대한 경과와 어떻게 처리할지 의논하고자 모이라 했어요.”

사고 학생 담임 선생님이 그 학생에 대하여 어제 일과 입학 후 그간의 학교생활에 대하여 설명했다.

“학부모는 아이가 그런 상태인 거를 알긴 한 것 같아요, 학교를 계속 다녀 졸업하기를 원하는 것 같아요.”

“학교로서는 지금 3학년도 아니고 2학년인데 또다시 화재를 일으키거나 칼 망치 등으로 사건을 일으킬까 봐 그게 제일 걱정이에요.”

“네. 제 생각엔 고등학교를 퇴학할 가능성이 있으니 자퇴하는 것도 하나의 방법 같아요.”

”지금은 학교를 다니는 게 중요한 게 아니고 치료를 받는 게 급선무 같아요, 학부모를 설득할 필요성이 있어요”

교감 선생님이 강조했다.

“다행히 교실 안에서 방화하지 않은 게 운이 좋은 것 같아요. 그리고 어제는 부서에 선생님들이 많이 남아있던 것도 큰 도움 이 되었고요.”

“네네. 그런 것 같네요.”

어제저녁에 학생 방화 미수 사건으로 학교는 뒤숭숭하다.

그 학생 본인도 그렇지만 그 부형은 얼마나 힘들었을지 상상이 간다. 자녀를 늘 보살필 수 없기에 그 빈 자리에서 학생이 어떤 돌발적인 행동을 할지 늘 불안할 수밖에 없을 텐데.

이런 위기 학생을 보듬어 주고 치료해 주는 '치료센터'가 필요하다는 생각이 들었다. 정신적으로 편안하게 심신을 안정할 수 있는 '센터'가 필요하다. 현재 학교에서 운영하는 위클래스만으로는 우울하고 비뚤어진 정신적 문제를 해결하는 데 한계가 있다. 그 부형이 감당하는 비용도 지원 내지는 감면해 주어 적극적인 치료를 할 수 있는 기반을 마련할 필요가 있다. 앞으로도 이런 학생들은 점점 더 늘어날 것이다. 이제는 각 가정에만 짐을 넘길 것이 아니라 적극적인 치료대책을 세우고 비용을 확보하는 대책이 필요하다.

화재는 늘 내 생활 속에서 발생한다. 위험한 상태를 방치하거나 소홀하면 돌이킬 수 없는 실질적 화재로 이어진다. 낯선 아이가 하교 후 학교에 되돌아온다면 반드시 확인하고 자세히 주시할 필요가 있다. 주의가 뜸해진 사이에 그는 화재를 일으키는 주인공이 될 수 있다. 많은 학생이 있는 학교, 화재에서 늘 안전할 수 있도록 노력할 일이다. 누구나 행복하게 잘 사는 것 그것이 복지사회로 가는 길이란 생각이 든다.
다행히 화제가 될뻔한 일을 잘 막아준 많은 교직원분께 고마운 마음이 든다. 오늘도 행복한 하루가 마무리된다.

커피를 먹을 순 있나요?

"실장님, 화분 갈이 한번 해야 하지 않아요?"

"아뇨, 괜찮은데요."

"괜찮긴요, 꽃에 비해 화분이 작아 애들이 기를 못 펴는데요?"

"아. 일부러 안 갈아요, 애들이 어려움을 뚫고 자라라고요."

웃으면서 말했지만 사실 억지다. 우리 사무실에 내가 키우고 있는 커피나무를 보며 직원들이 하는 말이다. 내가 봐도 나무에 비해 화분이 너무 작다. 재작년 먼저 있던 학교에서부터 가져왔으니 그때 작은 포트에 있는 것을 한 뼘 정도의 노란 사기 화분에 심어놓고 그대로니 몸살을 할 만하다. 그래도 내가 갈지 않는 이유는 첫째는 귀차니즘이요 둘째는 그래도 잘 자라리란 확신이 있어서이긴 하다. 아침 출근하면 나는 음료수 1,500ml짜리에 물을 담아 화분에 물을 주고 이파리를 분무기로 분사해 준다. 분무 분사는 매일 해준다. 하루도 빠지지 않는다. 혹여 주말이면 물을 좀 더 흠뻑 주고 간다. 또 며칠 출장이 있는 날은 갔다 오면 우리 직원 중에 한 사람이 늘 물을 주어 생생하다. 얼마나 고마운 일인지 모른다.

"이 나무가 자라면 제가 커피 볶아 갈아서 진하게 한 잔씩 타 줄게요."

"실장님 애들이 그렇게 자라기나 할까요?"

"아. 자라죠, 제가 이렇듯 열심인데요."

"그럼 기대하겠습니다. 하하."

화초를 담고 있는 노란 화분은 귀엽기까지 하다. 화초가 무럭무럭 자라 꼭 퇴직하기 전에 커피를 내려줘야 하는데 걱정이다.

"이번 주에는 분갈이하고 와야겠어요."

“아니 실장님, 애들이 스스로 자랄 수 있게 내성을 길러줘야 한다면서요?”
내 말에 웃음기 어린 말로 과장이 대답한다.
“이젠 갈 때가 된 것 같아요.”
“잘 생각하셨어요. 예쁘고 좀 더 큰 화분으로 갈아오세요.”
“그래야지요.”
지금 집에 온 지 3주째다. 이것저것 바쁜 일로 화원을 한번 갔다 와야 하는데 도통 시간이 나질 않는다.

“여보, 학교서 가져온 커피나무 집에 오니 많이 자랐는데?”
“그런가요, 내가 볼 땐 잘 모르겠는데?”
”아냐 반 뼘은 더 자란 것 같고 새 이파리도 많이 났는데, 여기 햇살이 잘 들어 그런가 봐.”
“아 그런가 보네. 그럼 가져가지 말고 그냥 여기서 키워봐요.”
“아냐, 가지고 가야 해. 잘 키워서 커피도 내려야 하고.”
“알았어요.”
정말 화초가 좀 더 자랐다. 예의 그 노란 화분을 감싸고 뿌리도 튼실하니 이젠 정말 그 작은 화분에서 견디기 어려울 듯하다.
한편으로 이렇듯 나와 3년 동안이나 대화하며 정을 쌓았던 화분을 바꿔야 한다니 조금은 아쉬운 마음은 든다.
그래도 애들 덕분에 더 큰 화분을 갖고 더 좋은 환경에서 커피나무가 자랄 것을 생각하면 진작에 힘이 난다. 생명이 없는 화분 하나에도 얼마나 많은 인간의 노력이 들어갔겠는가!
그 화분 하나를 만들기 위해 그 누구는 뜨거운 화덕 위에서 땀 흘려가며 인고의 시간을 보냈을 터였다.
이 작은 노란 화분 하나가 내게 오기까지 얼마나 많은 이름 없는 무수한 공정과 무수한 사람의 손을 넘어 내게 온 것은 그냥 우연한 일은 아니다.

화분 하나를 통해 우리네 인생을 생각하게 된다. 우리 인간도 그 적거나 크거나 쓰임새에 따라 우리 역할을 다하고 봉사하고 삶을 살아가고 남에게 유익을 주고 화분이 다시 흙이 되듯이 우리도 자연인 흙으로 돌아간다. 작은 화분의 삶이나 우리네 인간의 삶이나 하등 다를 게 없다. 단 있다면 내 속에 숨 쉬는 이상적 감흥이요 생각일 것이다.
이번주면 화분을 다시 채워 사무실로 데리고 올 것이다
그때 모두의 환영을 받는 예쁜 화분으로 맵시를 뽐내고 오기를 바란다. 그래서 누구에게나 보란 듯이 누구나의 커피를 대접하기 위한 멋진 나무라고 말해주면 좋겠다. 새집과 함께 이사 왔노라고 말하면서 말이다.

성적관리 위원회

"실장님 안 가세요?"

"네, 어디로요?"

행정실 문을 열고 들어오는 교육정보부장에게 물었다.

"오늘 성적관리위원회 교장실서 하는데 아무도 없어서요."

벽에 걸린 시계를 보니 3시 56분이었다.

"아 그래요? 아침 회의 때 오늘 열린다는 말은 들었는데 메신저가 안 와서요."

"실장님이 항상 회의에 1등이고 제가 2등인데 아무도 없어서 오늘 회의가 취소되었나 하고 왔어요."

"아 그러셨군요, 하하, 바로 가시죠."

교장실에는 생각대로 아무도 없었다. 5분 사이에 모든 위원이 참석하였고 곧이어 교무부장님의 주재하에 회의가 진행되었다.

"지금부터 학업성적 관리 관리위원회를 시작하겠습니다."

"안녕하세요."

"오늘 회의는 지난번 음악 수행평가 시 평가 결과를 5명의 학생이 임의로 답안지를 수정하였기에 이를 어떻게 처리할지 의논하기 위하여 모이게 되었습니다."

"먼저 음악 교과 지행숙 선생님과 그 반 담임 선생님의 의견을 들어보겠습니다."

"제가 당시 교과 담당으로써 말씀드리면 학생들의 행동에 즉각적인 조처하지 못한 점에 아쉬움을 표합니다."

"담임으로서 제 의견을 말씀드리면 우리 반 5명의 학생이 연루되어 송구스럽습니다. 하지만 이 아이들은 평상시에도 전혀 말썽을 부지리 않았던 평범한 학생들입니다. 부디 3학년 입시를 앞둔 아이들의 장래를 생각하여 관대한 처분 바랍니다. ”
학생들이 평소에 품행이 방정하였고 또한 3학년으로 입시와 관련하여 급한 마음에 그러한 일이 발생한 것으로 선처를 구한다는 내용과 수행평가할 때 같은 조건에서 평가가 이루어지지 않고 불공정하였다는 학생들의 의견이었다.

“학생을 보호하고 선생님도 보호할 수 있는 처리에 대하여 위원님들의 의견 주시기 바랍니다.”
교무부장의 말에 상담부장인 빈 부장이 말했다.

“이 건은 학생들의 부정행위 차원을 떠나 교권에 대한 도전으로 받아들여져야 한다고 생각합니다. 이번 기회에 확실한 조치를 취하여 일벌백계의 계기가 되었으면 합니다.”

“하지만 학생들을 면접한 결과 그 시간 지도한 선생님의 잘못도 만만치 않아요. 수행평가 시 무작위로 아이들을 지적한 것도 그렇고, 웅성거리는 시험분위기 자체와 어떤 학생은 1음절만 어떤 학생은 3음절로 갑자기 수행토록 함으로써 척도의 통일성을 상실한 책임이 있습니다. 그런 점들을 감안할 때 가혹한 조치는 바람직하지 않다고 생각합니다.”
과학부장의 의견은 학교의 잘못도 인정하여야 한다는 취지의 발언이었다.

“제 생각엔 학생들의 잘못과 시험성적 평가를 별개로 생각했으면 합니다. 잘못은 선도위원회를 열어 그 행위에 대한 책임을 지도록 하며 시험성적에 관하여는 규정에 의거 조치되어야 할 것입니다. 예를 들면 수정하기 전의 점수를 그대로 인정하는 것이죠.”
난 나의 의견을 말하였다.

“이것도 엄연한 시험인데 중간 기말고사 같은 경우는 부정행위에 대하여 영점 처리하고 있습니다. 전 이 기준에 부합하여야 한다고 생각합니다.”

연구부장의 취지는 단호하였다, 원칙을 강조하였다.

“학교도 어려운 상황에 부닥치지 않고 학생도 불이익을 최소화할 수 있는 방법은 학생의 행위에 대하여는 엄격하게 처리하고 성적에 대하여는 재시험 등이 있는 점을 들어 형평의 원칙에 크게 반하지 않으려면 최하위의 직근점수를 주는 것은 어떤가요?”
교감 선생님이 절충안을 내놓았다

“제가 봐도 그 방법이 타당한 듯합니다. 선생님의 잘못된 부분에 대하여도 사유서를 비치하여야 향후 학부모 민원에 대응할 수 있다고 생각합니다. 그 학생들 학부모에게는 그 사실을 알리고 처리하는 것이 바람직해 보입니다.”
2학년 부장의 발언은 모든 것을 종합한듯하였다.

“지금 학생 잘못한 부분에 대하여는 선도위에서 강력하게 처벌하고, 학생점수에 대하여는 최하위 직근 점수를 주는 것으로 또한 그 교과 선생님에 대하여는 관리 감독의 책임을 물어 사유서를 받자는 의견 개진이 있는데 위원님들 의견은 어떠신가요? 동의하시나요?”
모두 동의의 의견을 표했다.

“그럼 학생 수행 능력 평가 관련 부정행위에 대한 학업성적 관리위원회를 모두 마치겠습니다.”
참으로 서글픈 일이 아닐 수 없다. 학생들이 도를 넘어선 행동을 하고 담임은 그 반을 통솔하지 못하고 원칙을 벗어난 수행평가로 인하여 불리한 입장에 처한 학생과 선생님 모두 안타까운 일이다. 학생들은 이러한 사실을 심각하게 받아들이고 자성하는 계기가 되어야 할 것이며 담당 선생님은 학생 지도에 대한 사항과 수업 운영에 대한 통찰력을 성숙시켜야 할 것이다.

승진시험이 뭐길래

어제 퇴근을 하는데 전화벨이 울렸다.

"형님, 염려 많이 해주신 덕분에 이번 시험에 합격했습니다. 고맙습니다."

핸드폰을 쳐다보니 이 실장이다.

"합격한 거야? 명단이 아직 안 떴던데?"

"다른 통로를 통해 알음알음 알아봤어요."

"어, 그래 정말 축하해 어려운 일을 해냈네."

"다 지원해주신 덕분입니다."

"내가 한 게 있나 열심히 공부한 이 실장이 애썼지? 조만간 한번 만나자고?"

"알겠습니다."

이정범 실장이 올해 사무관 시험에 합격했다고 전화가 온 것이다. 정말 축하할 일이다.

모임 멤버이기도 하고 작년에도 시험을 봤는데 나만 합격하고 이 실장은 떨어져 아쉬워했었고 본인도 실망했었기에 올해 합격의 기쁨은 그만큼 더 클 것이다.

"정식 발표는 내일 나는 거지?"

"그럴 것 같아요, 혹 합격자 명단 입수하면 내게도 보내주고?"

"알겠습니다."

얼마나 기쁠까? 합격이라는 말만 들어도 가슴이 뛸 것이다.

올해 나와 친한 사람 세사람이 시험을 봤다.

이정범 실장, 이민지 실장, 금천민 실장 그중에 이정범 실장이 제일 먼저 합격 소식을 전해 온 것이다. 다들 합격하면 얼마나 좋을까? 이튿날 아침이 되었는데 거래처 사장이 들렀다.
"이번 시험에 본청은 20명 넘게 봤는데 4명만 불합격이고 전부 합격했다네요."
"아 그래요?"
이번 행정직 73명 중 도 교육청이 20자리 이상을 합격하면 나머지 50자리 정도가 지역교육청과 학교에서 합격한 사람들이다. 오후 되어 합격자 명단이 공고되었다.
오늘 아침에는 우리 직원이 합격자 명단을 보더니만
"실장님 최모 실장님은 77년생으로 저와 동갑인데 이번에 사무관 시험에 합격했네요?"
"아 그래요? 그분이 6급을 단지 얼마나 지났는데요?"
"글쎄요, 대략 8년 정도 된 것 같은데요?"
"아. 77년생이면 최연소 합격이겠는데요?"
"그럴 것 같아요."
본청이 늘 욕을 먹는 이유 중의 하나가 일선 학교의 경우 6급 달고 13년 이상~15년은 되어야 사무관 시험을 응시할 수 있는데, 본청의 경우 8~9년이면 시험을 보기에 일선 학교와의 형평성이 늘 도마 위에 올랐었다. 또 오늘 정보에 의하면 그런 일이 반복되고 있는 것이다. 물론 본청이 일이 많고 개인적인 시간도 없어 어느 정도 인센티브를 준다고 하지만 그래도 10년을 넘어야 하지 싶다. 현실은 그렇지 않기에 대부분 수험생에게 실망을 안겨주는 것이다.

합격 명단에 있는 이민지 실장에게 전화를 넣었다.
"축하해. 고생 많았지?"
"네. 실장님, 이번에 공부해보니 사무관 되신 분들 존경스러워요."
"에구 무슨 소리를 이 실장도 2016년부터 공부했으니 4년을 꼬

박했네. 애썼어."

"그래도 실장님이 알아주시니 감사해요."

"당연히 알지, 나도 시험공부를 했던 사람이니."

"근데 금 실장님 때문에 너무 힘들어요."

"왜 뭐라 해?"

"글쎄 하소연도 하고요. 저를 가만 놔두질 않아요."

"나한테도 아까 전화 왔는데 받지를 못했어."

"오늘은 그냥 받지도 전화도 하지 마세요. 술도 많이 먹은 것 같더라고요."

"어 그래 그럼 내일 통화해야겠네."

"그러세요."

"하여튼 고생 많았고 이제 맘 좀 내려놓고 좀 편하게 쉬어요."

"네네. 알겠습니다. 고맙습니다."

"그랴."

이 실장은 나와는 같은지역 모임으로 예전에는 종종 모임에서 만나기도 했었다. 지금은 정년 퇴임한 김일연 사무관, 신진철 사무관 그리고 금천민 실장까지도 멤버였다.

금 실장이 8년 전에 뇌졸중으로 쓰러지고 간간이 만나오다가 김 과장의 고집과 안하무인 그리고 정년퇴직으로 인해 그 모임이 해체되었다.

핸드폰을 보니 금 실장이 전화를 2통이나 했다.

"지금 회의 중이니 나중에 문자 줄게."

퇴근하다 금실장에게 전화를 걸었다.

"어구 어째? 시험이 안되어서."

"아녀요, 그런데요, 저번에 얘기한 나를 힘들게 한다는 사람이 누군지 알아요? 이민지입니다."

그 목소리는 너무 격앙되어 있었다.

더 듣고 있다가는 쌍소리까지 나올 듯했다.

"내가 지금 식사하러 가는 길인데 내일 전화 줄게."

"네."

서둘러 전화를 끊었다. 둘이 같은 지역 근무하는 데 이번 시험에서 한참 후배인 이 실장이 지역 내 근평을 잘 받아 시험대상에 올랐고 금 실장은 근평을 두 번째로 받아 등수가 많이 오르지 않은 것을 다 이 실장 탓을 하는 것 같다. 더군다나 뇌졸중으로 한쪽 몸이 마비되어 팔다리가 자유롭지 못한데다가 이번 시험만큼은 본인 스스로도 노력을 많이 했다고 하는데 정작 시험 발표가 실망스럽게 나와서 원망이 더 커진 것 같다는 생각이 들었다. 더군다나 이번 시험은 모두 평이한 문제와 면접도 어려운 문제가 없어 근평과 다면평가가 당락을 가른 것 같다. 아마도 신 실장의 경우 다면평가 점수가 좋지 않을 성싶다. 일전에 들은 얘기로는 전임학교의 교장 선생님이 경영지원과장도 찾아가 하소연하고 해서 금 실장과 사이가 워낙 안 좋았나 보다. 그러니 점수를 받기가 쉽진 않았을 것이다. 그런 사실을 인지한 금 실장이 세상에 대한 불만이 극에 달한 것 같다.

아침에 문자를 넣었다.

"전화 대신 문자할께 출근 중인가? 3번 시험을 본 사람으로 말할게. 지금 기대했던 바가 크기에 실망도 클 거야, 무지 실망하고 자괴감도 들겠지 그렇지만 다시 한번 힘내면 좋겠어, 아직 한 번의 기회가 있잖아. 그 누구도 원망하지 말고 마음을 다잡기 바래."

언제나 금 실장이 지금의 화와 원망을 누그러뜨리고 자신을 새로 반성하면서 늘 평온한 마음을 가질 수 있을까?

학부모가 학교에 바라는 것은

"오늘 11시에 학부모 임원진 방문이 있을 거예요."
아침 회의 시 교장 선생님이 말했다. 학부모들이 학교 현안에 대해 부탁하러 오나 보다 했다. 10시50분경 되어 학부모회장이 행정실에 들어오며 인사한다.
"안녕하세요? 오는 길에 빵을 사 왔어요? 나눠 들 드세요."
"감사합니다."
우리 직원이 재빠르게 응답한다.
교감 선생님에게 문자를 보냈다.
"지금 학부모들이 오셨는데 교장실에 한 번 들어가 보시죠?"
"네. 10분 뒤에 내려가겠습니다."
학부모 임원들이 무슨 얘기를 하는지 잘 들어보고 해명할 건 해명하고 새로운 아이디어가 있으면 흡수하는 것이 좋다고 생각하여 교장실에 들어가기로 했다.
"회장님 빵도 사 오시고 잘 먹겠습니다" 교장실 테이블에도 빵이 몇 조각 보였다.
"저희도 잘 먹겠습니다."
나도 인사를 했다.

교장 선생님 오늘 교육공무직원 파업하는 부분에 대하여 언급하고 우리 학교는 시험 기간인 오늘 하루만 그것도 2명만 파업하여 급식엔 큰 걱정이 없다는 말씀을 전했다. 다행이 아닐 수 없다. 이웃 송영 초등학교만 해도 3, 4, 5일 3일 동안 급식조리원과 교무실, 행정실 공무직원도 파업하여 학사일정에 어려움이 있다고 했다.

우리는 얼마나 다행인지 모르겠다.

"아마도 지난 교복인가 본데요. 어느 학부모가 말하기를 어느 학생이 그 교복을 입고 왔는데 교복 입은 학생은 잡고 사복 입은 학생은 잡지 않았나 봐요?"

"그 부분은 저도 전해 들었는데 이제 셔츠형 교복은 안 입기로 결정되었는데, 그걸 학생이 입고 와서 지적된 부분으로 알고 있어요."

교감 선생님이 이유를 설명하고 나섰다.

"아, 그렇군요, 학교에서 조금만 더 홍보해 줬으면 좋을 듯해요."

"네. 입학설명회시 그 부분을 명확히 설명해 드리도록 하겠습니다."

교장 선생님이 말씀하셨다.

"그리고 오늘 같은 의견도 좋은 거예요, 아무 말이 없다가 나중에 일이 커지면 곤란하거든요. 조그만 궁금증도 문의하시면 좋을 것 같아요."

"네네,"

"학부모님들 동아리 활동은 잘 되세요?"

"네. 주 2회 볼링 동아리를 하는데 다들 재밌어합니다."

학교에서 혁신 예산으로 학부모동아리 예산을 편성해 부형들이 운동도 하고 학교 일도 의논하는 자리를 갖곤 한다.

"에버리지가 어느 정도 나와요?"

"네. 보통들 150정도 돼요?"

"오우 대단한 실력인데요, 저희 직원들은 지난번 갔는데 85정도 나왔다는데요."

"그럼 우리랑 대회 한번 해요? 날 잡아요?"

"하하. 우리가 실력이 낮으니 한번 붙자는 거죠?"

"하하."

같이들 한바탕 웃었다.
"우리 부형님들이 늘 학교에 관심을 두고 일을 해줘서 고맙게 생각합니다, 자신의 시간을 쪼개서 여러모로 학교 일에 봉사해줘서 고맙습니다. 저는 우리 학생과 교직원들이 더 좋은 여건에서 공부할 수 있도록 최선을 다하겠습니다."
교장 선생님이 감사의 말씀을 하셨다.
나도 한마디 했다.
"저희도 이번에 대응지원 사업을 신청하는데 선생님들과 의견을 나눠보니, 학생 진입로 보도블록 설치, 스탠드 및 지붕 캐노피 설치 등 여러 의견이 제시되었는데 학생들의 교육활동과 직결되는 사업인 방송시설을 대응지원사업으로 선정했습니다, 한 3억 정도 소요됩니다. 저희가 교육청에 올린 것을 시로 올려주면 시에서 12월 중 확정하게 됩니다. 가능하면 사업이 선정되어 더 좋은 환경이 되었으면 좋겠습니다."

"한 가지 드리고 싶은 말씀은 재작년에 학교를 졸업하신 부형님이 올해에 둘째가 입학해 올해 학교를 방문했는데 깜짝 놀랐네요? 학교가 몰라보게 깨끗해졌다고요."
학부모회장이 말했다.
"아마도 올겨울에 교실 도색을 한 부분이 컸나 보네요?"
"그런가 봐요."
"올해가 지나면 학교가 더 환경이 좋아질 거예요, 현 완료된 사업과 앞으로 추진될 사업까지 한 10건 정도의 사업이 있습니다. 큰 것으로는 석면 공사, LED 조명 공사, 화장실 리모델링 공사, 창호 공사, 급식실 리모델링 사업 등이 있습니다. 올 한해 지나면 환경 개선이 많이 될 듯싶어요."
"아. 기대가 많이 됩니다."
"네네, 학생들의 학습 여건이 더 좋아질 수 있도록 힘쓰겠습니다.”

“네, 고맙습니다.”

이러한 간담회 자리는 학부모와의 소통을 통해 학부모 의견을 청취하고 또한 학교의 여러 사업들의 진행 과정을 알림으로써 정보교류도 하며 임원으로서의 자긍심을 갖게 하고 학교 일에 대한 타 학부모와의 관계에서도 홍보역할을 할 수 있다고 생각한다. 앞으로도 학부모와의 정기적, 비정기적 대화를 통해 학교 상황을 알리고 소통하는 자리를 자주 해야겠다.

회식, 그 소통의 현장

“황 주사님, 회식 장소는 잡았나요?”

“네. 실장님. 직원들 하고 의논해봤는데 사거리 근처 신토오리가 좋다는데요.”

“교장 선생님은 산 밑에 오리골을 원하시던데요.”

“그러면 거기로 하시죠. 같은 오리 전문점이니.”

“네. 그렇게 합시다”

“차가 4시 30분까지 주차장에 오기로 되어 있습니다.”

며칠 전 업무 회의 시간에 교장 선생님은 우리 행정실 직원들 고생이 많으니 저녁을 한번 하게 날을 잡으라 했다. 늘 직원들을 챙겨주고 고마워해 주는 교장 선생님이 고마울 따름이다.

“교장 선생님 올 추석에 비정규직들 선물을 준비하려 했는데 그것도 어렵게 생겼어요.”

“아, 그러지 않아도 그걸 의논하려고 했었는데, 무슨 문제가 있나요?”

“네. 이번에 국민권익위원회에서 업무추진비 집중 감사를 하면서 그전에 관행적으로 해오던 것에 대하여 기준을 명확히 해주었어요. 직원들을 위한 식사는 가능해도 선물은 안 된다고 유권해석을 내렸습니다.”

“그래요?, 그럼 따라야지요.”

“네. 그렇긴 한데 직원들은 상당히 서운하게 생각할 겁니다. 해마다 받던 선물인데 기대도 조금 할 거예요.”

“그렇겠네요.”

“그래서 오늘 회식 장소에서 교장 선생님이 추석 명절이고 해서 마음의 표시로 식사를 낸다고 하세요.”

"네. 그게 좋겠네요."
"교감 선생님 4시 30분 '땡' 하면 내려오세요."
"아, 차가 왔나요?"
"주차장에 대기 중입니다."
"알겠습니다."
오후 4시20분경 되어 교감 선생님께 인터폰으로 시간을 알렸다.
"가야지?"
"교장 선생님 30분에 출발할 겁니다."
"이계장 빨리 정리해 갑시다."
"네. 교장 선생님 정리 중입니다."
이제 막 자리를 정돈 중인 이 계장에게 교장 선생님이 한마디 하신다. 음식점의 봉고차는 주차장에 대기 중이었다.
"다 탈 수 있나?"
"15인승이라 13명이 다 탈 수 있어요."

회식장소는 너무도 익숙한 오리전문점이었다. 시골 내음이 물씬 풍기는 아늑하고 소박한 집이다. 그곳의 오리 로스를 교장 선생님은 최고로 생각하신다. 교장 선생님과 테이블을 같이한 우리는 오리 로스를 먹고 나머지 직원들은 코스 요리를 시켰다. 보기에도 먹음직 스러웠다.
"사장님 동동주도 상마다 한 사발씩 주세요."
"알겠습니다."
"오늘, 이 자리는 교장 선생님이 우리 행정실 직원들 고생이 많다고 격려하기 위하여 자리를 마련해 주시었습니다. 먼저 교장 선생님 한 말씀 듣겠습니다."
"네. 그동안 참 잘들 해줘서 고맙고 해마다 명절이면 조그만 선물이라도 했는데 이번엔 어렵게 되어서 식사 자리라도 마련하여 위로코자 자리를 하게 되었습니다. 마음껏 맛나게 드시기 바랍니다.”

“네. 감사합니다. 잘 먹겠습니다.”

직원들은 합창하듯 말했다.

“자, 우리 신춘 중 행정실의 무궁한 발전을 위하여! 위하여!”

“행정실 직원들이 하나같이 일도 잘하고 업무처리도 똑 부러져요.”

교감 선생님이 한마디 하셨다.

“이렇게 일 잘하고 잘 움직이는 학교도 없다고 생각합니다.”

“고맙습니다. 교감 선생님.”

“행정실장이 잘하니 다른 교직원들도 다 잘하는 것 같아요.”

교장 선생님이 거들었다.

“교장 선생님 감사합니다. 가끔 싫은 소리를 해도 다 받아주셔서 늘 감사하게 생각합니다.”

“아녀요, 내가 도움을 많이 받는걸요.”

“자. 그런 의미에서 건배.”

옆자리에 앉았던 김 주무관이 술잔을 높이 들었다.

“네. 건배.”

잔 부딪히는 소리가 여기저기 들린다.

“김 주사가 많은 경험이 될 거예요.”

“실무 수습을 하면서 많은 경험을 해보는 게 중요하죠.”

“그렇지. 바로 발령받으면 행정실장으로 나갈 수도 있으니깐 많이 배우도록 해요.”

교장 선생님이 한 말씀 하셨다.

“네. 많이 배우겠습니다.”

“박 선생님. 한잔해요?”

“네. 주세요.”
“한 잔 주면 정 없다니깐 조금 더 드릴게요.”
“좋습니다”
“실장님도 한잔 받으세요.”
“알겠습니다.”
“자자. 술잔이든 사람들만 다 같이 건배.”
“건배.”

술이 익어가고 분위기도 익어간다. 차츰 술잔이 몇 순배 돌고 시간도 많이 흘렀다. 이상하게도 술만 마시면 왜 그리도 시간이 빠른지.
“교감 선생님 한잔 받으세요.”
“아유, 머리가 막 돌아요. 어지러운데.”
“조그만 드릴게요.”
"술 부족하면 더 시키고 안주도 부족하면 더 시켜요.”
“네. 잘 먹겠습니다.”
“오늘 아주 좋은 시간이었습니다. 사는데 뭐 있나요? 서로 흉허물없이 대화하며 서로 도우며 사는 거죠.”
“네. 그게 사람 사는 낙이죠.”
“자. 1차는 이것으로 마치고 2차 생맥주가 시장 근처에 마련되어 있습니다. 모두 자리를 옮기시죠?”
“네. 2차로 모입시다.”

우리의 회식은 계속 조촐한 생맥주 파티로 이어졌다. 그동안의 피로도 저 멀리 사라졌다.

주제가 있는 기획위원회 운영

"실장님, 연구부장인데요."
아침 회의를 하기 전 연구부장이 인터폰을 한다.
"네. 말씀하세요."
"진작 말씀드린다는데 제가 깜박해서요. 우리 기획위원회 때 부서별 발표하는 것 오늘 행정실 차례인데 어쩌죠?"
"아, 걱정하지 마세요, 제가 틈틈이 써놓은 게 있는데 준비할게요."
"아, 고맙습니다."
"아녜요."

우리 학교는 매주 기획위원회가 부서별 전달 사항에 그치지 않고 안건과 주제가 있는 회의를 해보자는 취지에서 1학기부터 부서별 주제에 맞게 발표를 해왔다.
우리 행정실은 '안전하고 아름다운 학교 환경조성'이라는 제목으로 발표하기로 하였다. 그 주제를 제출하고부터 기회가 있을 때마다 발표 자료를 작성 업그레이드를 해왔다. 틀은 대체로 보고서 양식을 사용했는데 추진목적 및 배경, 현상황추진실적, 향후 추진계획으로 작성하였다. 부서별 전달 사항을 마치자마자 연구부장이 말했다.
"그러면 이제 행정실장님이 안전하고 아름다운 학교 환경이라는 주제를 가지고 발표해주시겠습니다."
"네. 감사합니다. 행정실장입니다. 학교 현장에서 가장 중요한 문제는 학생들의 안전과 인성교육을 위한 감수성 증진 교육이라 생각하여 이 주제를 선정하였습니다."

서두를 시작으로 말을 계속 이어 나갔다.

"우리 학교 상황이 시설 노후화로 인한 미관과 안전 위험 요소가 존재하여 이를 안전시설, 아름다운 환경조성, 편의 복지 시설의 3개 영역으로 나누어 작성해 보았습니다. 또한 학교 시설 3개년 중장기 계획 수립과 2014년 이후 학교 시설 누적 관리를 해오는데 학교 시설 3개년 중장기 계획은 필요성이 있는 사업에 대한 견적서를 미리 징구하였다가 현안 사업, 대응지원 사업, 교육비 특별회계, 재난 안전 예산별로 작성 사업요청 때 예산청하고 발령이 나면 사무인계인수서를 작성하여 후임자가 우리 학교 현실을 바로 파악하고 중장기 계획의 연계성을 강화하고 있습니다. 학교 시설 누적 관리에 의하면 시설 파트와 주요 기자재 구매에 대해 정리하여서 한눈에 시설 관련 내용이 파악될 수 있도록 하였습니다."

"아래 표는 시설 관련 상반기 사업에 대해 정리하였는데요. 안전시설 부분에서는 자판기 옆 펜스 보수, 기숙사 온수보일러 설치, 본관 신관동 방수, 기숙사 침대 수리, 옥상 난간대 설치, 소방시설 보수를 하였고, 아름다운 환경조성에서는 수목 전지, 학교 정원 아치 제작, 수목 이름표, 각종 폐기물처리, 교내외 도색공사 등을 실시, 편의 복지 차원에서는 2학년부 순간, 온수기, 교직원 사무용 의자구매,다솜마루 가구, 냉난방기 설치, 5층 정수기 설치, 교실, 특별실 냉난방기 종합세척, 노트북 구매 등 사업을 하였습니다.
(중략)
하반기에도 학생들의 안전과 관련한 시설물 우선 조치, 학생 감수성 증진을 위한 아름다운 학교 환경조성을 위한 시설물 개선, 교직원 편의시설, 후생 복지 사업에 박차를 가할 것입니다."
1학년 신입생의 경우 가장 불만이 낡은 학교 시설이 제일 불만이었는데 각 요소요소 업그레이드하여 학생들과 교직원들이 자부심을 품고 일할 수 있도록 최선의 노력을 다하고자 한다. 본관과 후관 연결 피로티 추가설치, 현관 및 후관 경사면에 화초(금잔디)식재, 학교 정원 벤치, 통행로 정비, 장미 개나리 식재 등을 통해 학생들의 감수성을 증진 행복한 학교 만들어야겠다. 모두가 노력 협심하여 학교 환경을 개선하는 일은 비단 나 혼자만의 노력으로는 쉽지 않을 수도 있다. 모든 교직원의 아이디어를 취합하고 방향을 제시하여 모두가 함께 참여하는 안전하고 아름다운 학교 환경 구축에 최선의 노력을 다하고자 한다.
그것이 우리 아이들의 웃음을 띤 모습과 엄지척을 실현할 수 있게 할 것이다.

사람 위에 사람 없고 사람 밑에 사람 없다

"실장님 나 좀 봐요?"
문을 조금 열고 나를 부르는 사람은 다름 아닌 급식소위원장이었다. 일과가 끝나가고 저녁엔 '가을 음악회'가 오후 7시부터 학교 강당에서 진행될 예정이었다. 우리 행정실 직원들도 특별한 사유가 아닌 한 모두 참석하도록 하였다.
"왜 그러시는데요?"
"실장님 지난번 급식소위원회 때 저한테 하신 말씀 기억나요?"
"무슨 말씀이죠?"
"조리원하고 저하고 몇 사람들 앞에서 해결하자는 말요."
"아, 그때 제가 이런 말씀은 드렸습니다. 이 문제를 해결하는 방법은 당사자인 조리원과 소위원장님 그리고 그 현장에 있던 이해관계자 즉 담임, 그 외 조리원분들하고 교장 선생님 등이 한자리에 모여서 서로 자기 의견을 내야 해결될 수 있다고 말한 적은 있습니다."
"그럼 만약에 그렇게 한다면 어떻게 해결해 주실 건대요?"
"해결이라니요?"
"조리원에 대한 조치 말입니다."

두어 달 전의 일로 거슬러 올라간다.
사건의 발단이 된 것은 점심 급식 때 반찬 부족이었다.
그날 급식 모니터 요원이기도 한 급식소위원장이 학교에 왔다가 학급에 반찬이 부족한 걸 보고는 조리실로 달려가서 "반찬이 부족한데, 더 줄 수 있느냐?" 표현을 거칠게 한 모양이다. 들리는 바로는 워낙 급한 성격의 다혈질적인 성격인 위원장이 인격 모독적인 '상소리'까지 주고받은 모양이었다. 이러한 사실은 나중에야 알게 되었는데 교감 선생님이 반찬이 부족하여 조리원과 학부모 사이의 다툼이 있었다는 사실을 알고는 조리원의 얘기와 그 담당 학급 선생님의 말씀을 들어본 결과 소위원장이 먼저 인격 모독적인 '상소리'를 하고 이에 격분한 조리원도 '니니 너니' 한 모양이었다. 이에 소위원장은 급식하는 조리원의 약한 신분을 이용하여 학교장에게 심한 압력을 계속해 왔던 것인데 두 달 잠잠하다 이제 다시 또 거론하고 나온 것이다.

"위원장님, 저한테 조치해달라니 제가 할 말이 없네요. 어느 조직이나 의사결정권자가 있고 참모조직이 있습니다. 저는 그 문제에 대한 타당한 의견이나 방법을 제시하는 위치나 결정할 위치에 있는 것은 아닙니다. "

"그러면 누가 결정하죠?"

"당연히 교장 선생님이시죠."

"학부모들의 서명을 받아서라도 그 조리원에 대한 조치를 받아야겠습니다."

"제가 알기론 어느 한쪽이 일방적이어선 안 됩니다."

"실장님은 왜 그날 그 자리서 그러한 말씀을 하신 겁니까?"

"왜라니요, 제 생각엔 어느 한 사람의 말을 들어선 그 말이 진실인지 알 수 없습니다. 사람은 누구나 다 자기에게 유리하게 말할 수밖에 없어요, 결국엔 당사자 이해관계인 참관인 관련 사람들이 모인 가운데 의견을 낸다면 해결책이 있다고 생각한 겁니다."

"저는 잘못한 게 하나도 없어요, 그동안 바빠서 이 문제를 생각지 못했는데 전 어떻게든 결론을 봐야겠습니다."

어떤 문제든지 누구 한쪽이 일방적으로 잘하는 일은 없다. 서로가 사과할 부분들은 적당한 수준에서 사과하는 것이 옳다. 더군다나 나보다 약자에 있는 사람이라면 내가 먼저 손을 내밀 때 그 사람은 내 사람이 되는 것이 고금의 진리이다. 기분이 우울한 것을 억지로 참았다.

“여하튼 교장 선생님과 상의를 한번 하세요.”

“그리고 제가 돌려보낸 것은 받았습니까?”

지난번 추석을 전후하여 4층 강당에 올라갔다가 내 자리에 와보니 웬 선물꾸러미가 하나 있었다. 직원들에게 물어보니 급식소위원장이 놓고 갔다는 것이다. 무엇인지 열어보니 시계였다. 시계 뒤엔 경찰청장 현길림이라고 새겨져 있었다. 평상시 청와대에 누가 있고 경찰청장이 어떻고 하더니만 자기 위치를 부각하기 위하여 내심 보낸 그것으로 판단하였다. 더군다나 소위원장과의 관계가 좋은 편이 아니었기에 직원보고 등기로 반송하라 일렀다. 혹시나 회신받지 못하였을까 봐 확인해 본 것이다.

“네 실장님, 등기로 왔더라고요. 그거 가지고 다니시면 혹 유사시 써먹을 데가 있을지 몰라 드렸던 건데요.”

“실장님. 식당으로 식사나 하러 가세요?”

“네 나중에 갈게요. 먼저 가세요.”

행정실로 돌아온 나는 먹었던 점심이 다시 올라오는 느낌이었다. 학교의 큰 행사이기에 내심 내키진 않았지만, 학부모회에서 마련한 저녁을 먹을 심산이었는데, 먹고 싶은 마음이 털끝만치도 없었다. 더군다나 학부모회에서 준비한 부분이 소위원장이 관여한 것이라는 말을 듣고는 더 참석하고픈 마음이 없어졌다.

‘그러고는 얼마나 생색을 낼까?’ 이런 생각이 미치자 혼자 먹어야 하겠다는 생각이 들었다.

“실장님, 저녁 드셔야죠? 식당엔 왜 안 가셨어요.”

교감 선생님이 막 들어오면서 물어보신다.

난 잠시 전에 있었던 일을 설명했고 교감 선생님은 소위원장의 오만불손함에 손을 내저었다.
"우리는 식당 가지 말고 여기서 대충 먹어요."
"네. 교감 선생님 순댓국이나 한 그릇 드시러 가요."
교감 선생님은 올 3월 1일 나와 함께 이 학교로 왔다.
성품이 강직하고 베풀고 사는 인생관이 뚜렷하여 공사 구분이 명확한 분이셨는데 학부모들이 저녁을 준비한다는 말에 내심 불만이 있던 터였는데 내가 저녁을 같이 먹자고 하니 잘됐다 싶으신 모양이었다. 밥상에 모락모락 김이 나는 순댓국은 정말 맛있었다. 깍두기 김치의 우직함과 배추김치의 달콤함이 일품이었다.

"실장님, 난리 났어요" 행정실의 최 주사님이 놀라 말한다.
"왜요, 누가 뭐라 해요."
"교장 선생님이 찾았어요. 교감 선생님이랑 어디 계시는지."
"왜요?"
"저녁 식사 왜 하지 않으셨냐고요, 관리자분이 아무도 안 계셔서 찾으셨던 것 같아요."
"그리고 아까 학부모님이 들어가셔서 교감 선생님하고 두 분이 같이 가셨다고 말하는 것 같았어요, 분위기가 심상치 않아요."
"걱정하지 말아요, 저도 학교 처지를 생각해서 저녁을 먹으려 했는데, 아까 위원장 얘기 듣곤 같이 먹을 생각이 싹 사라졌다고 말씀드릴 테니."
"실장님 식사 준비를 해놨는데, 저녁 드세요."
학부모회장님이 걱정하는 투로 말을 건넸다.
"아 속이 불편해서요, 먹은 거로 하겠습니다. 고맙습니다."
이내 교장실로 들어가서 자초지종을 말씀드리니 교장 선생님 이마에 손을 대면서

“그 학부모는 언제 일을 갖고 이제 얘기래요. 그 학부모는 무엇을 원하던가요?”

“네, 아마도 사과받기를 원하는 것 같습니다.”

“내가 다음 주에 한번 오시라고 해서 말씀을 나눠볼게요.”

이날의 해프닝은 아직 연장선에 있다. 누구나 잘하고 못하는 부분들이 있다. 누구도 선하기만 하거나 악하기만 하진 않다. 서로의 잘못을 보듬어 주는 것이 ‘있는 자의 도리’ 아닌가. 씁쓸한 하루를 마감하면서 나의 주장만을 내세움이 얼마나 어리석은지 반성하는 하루가 되었다.

인생의 참 열린 교육자

그를 만난 건 2018.12.31.일이었다. 2019년 1.1일 자로 지방 사무관으로 승진 임용되어 발령이 나 운현고등학교를 방문하면서부터였다. 무엇보다 첫눈에 온화한 미소와 따스한 눈길이 좋았다. 2019.1.4.일부터 실시하는 1박 2일 부장단 연수도 바로 참석하였다. 강화도 학생교육원으로 연수를 갔는데 그 자리가 바로 환영회 자리가 되기도 했다. 1월 7일은 전임 실장님과 사무인수인계가 있던 날이었는데 아침에 교장실에 들어갔더니 교장 선생님이 임명장을 기념패로 만들어 전달해 주셨다.

"교장 선생님 전임 실장님이야 고생하셨다고 기념패를 하는 건 이해하는데 왜 제게도 해주시나요?"

"네. 실장님 앞으로도 우리 학교를 위해 잘해주십사 부탁도 하고요, 실장님께는 공직에서 사무관 되는 게 쉬운 일이 아니잖아요? 우리가 교장 되는 거나 마찬가지니깐 그래서 의미 있게 해드리고 싶었어요, 제 사비로 만든 거니깐 부담 없이 받으세요."

"네. 감사합니다, 더 열심히 해보겠습니다. 교장 선생님."

첫 만남부터 감동이었다. 그 누가 발령받은 실장을 위해 사비로 기념패를 해주는 교장이 있던가?

무엇보다 사람을 존중하는 그의 모습이 좋았다. 세심하게 상대를 챙길 줄 아는 그 따스한 배려 깊음이 내겐 큰 기쁨이었다. 그는 학교생활을 해가면서 여러 가지 아이템을 가지고 학생들이 함께할 수 있는 문화를 갖고자 노력하였다. 일방적으로 아이들에게 제시하고 공급해주는 것이 아닌 소통하는 문화를 갖고 싶어 하셨다. 학생회 의견을 들어 사각지대 반사경을 설치한 것이나 본관에서 후관으로 올라가는 계단에 난간대와 차양막을 설치할 때 시안을 주고 선택하게 한 일, 본관 외부 도색 때에도 학생들과 교직원 의견을 들어 색상을 고르고 시안을 전시하고 최적 안을 선정하는 일, 화단 아치를 설치하고 이름을 공모한 일, 운동장 플라타너스 주위로 둥글게 스테인리스 의자를 설치하여 휴식 공간을 제공하는 일등 아이들이 주관이 되어 시설물을 구축하고자 노력하였다. 더 나아가 모든 공동체가 한마음이 되는 학교 만들어가기를 추구하셨다. 교장 선생님은 내가 하는 모든 일도 적극적으로 후원해 주시고 누구보다도 자랑스러워하셨다. 학부모 관련 운영위원회 등 회의가 있을 때면 "우리 실장님은 신속하게 일하시면서도 창의력 있게 일을 합니다."라고 고마워하셨다. 나도 무슨 일을 하든 재미가 있었다. 나름대로 교육 환경개선 사업을 위해 노력하였고 중장기 계획을 세워 일을 추진할 수 있었다. 교장 선생님은 급식소 리모델링 사업에도 큰 관심이 있으셨는데 하반기에 예산이 배정되자 약간의 어려움에 부닥쳤다. 처음 예산을 신청할 때는 10억 정도였는데 중간에 전처리실 들어가는 급식소 차를 앞쪽에서 뒤편으로 설계변경이라는 바람에 예산이 1억 이상이 부족했다.

“학생들 안전을 위해선 앞부분은 학생들 등굣길과 급식소 차량이 충돌하게 될 그것 같아요, 그러다 만에 하나 안전사고라도 나면 안 될 것 같아요, 뒤로 해서 동선을 분리하는 게 좋겠어요.”

“네네, 설계할 때 그렇게 한번 해보겠습니다.”

설계 결과 예산이 1억 이상이 부족했다. 나는 지역교육청 담당 팀장과 과장님과 의논했지만, 지역청에는 회계연도 말이라 그 큰 예산이 없었다.

“제가 본청에 한 번 다녀오겠습니다.”

과장님과 관련 서류 만들어 약속 날짜를 잡고 본청 담당 사무관을 만나러 갔다. 이후에도 담당 과장을 만나고 보완서류를 주고받았다. 도 담당과 과장님이 다음 주 월요일 학교를 방문해서는 현장을 둘러보고는 예산을 바로 배정해 주었다. 그 과장님은 그전에도 지역청과 일선 학교에서 안면이 있어 비교적 쉽게 예산을 받을 수 있었다. “참 고마운 일이 아닐 수 없었다.”

이후 2020.1.1.일 자로 나는 다른 학교로 발령받아왔다. 4월 되어 전임학교 행정실서 전화가 왔다. 4월 15일 급식소 개소식을 하는 데 참석해 달라는 내용이었다. 출장을 달고 운현고를 방문했는데 개소식 전 교장실에서 교육청 관련 과장 교육장과 인사를 나누는 자리에서도 나에 대한 고마움을 표시했다.

“전임 정 실장이 아니었으면 우리 급식소는 개소가 어려웠을 거예요, 실장님이 부족한 예산을 발을 벗고 나서서 본청을 다녀오고 협의해서 예산을 확보한 덕분에 이렇게 좋은 시설을 갖게 되었습니다. 고맙게 생각합니다."

"제가 큰일은 추진한 게 없습니다, 다 교장 선생님이 더 좋은 교육환경을 위해 힘쓰신 덕분입니다."

참 기분이 좋은 일이 아닐 수 없다. 좋은 공과를 혼자만 독식하지 않고 실장님 덕분이라고 다른 사람에게 돌리는 교장 선생님의 겸손하고 큰마음이 가슴에 와닿았다. 올 3월경에 교장 선생님 부친이 돌아가셨다고 조문이 왔다. 한달음에 수원 연화장으로 달려갔다. 제가 들어가는 것을 보더니 상주 자리로 와서 인사를 받고는 나를 소개하고는 식사 자리로 안내했다.

"제가 작년에 정년이 돼 퇴임할 때 그래도 보람 있는 일을 하자고 학교 도서실에 책을 200만 원어치를 기증했어요, 전별금으로 100만 원을 주는데 제 돈 100만 원을 더 보태서 학생들에게 실질적인 도움을 주자고 생각했어요."

"참 잘하셨습니다. 그동안 평생 학생들을 위해 봉직하셨는데 마지막까지도 학생만 바라보고 다시 학생들을 위해서 쓴다는데 잘하신 것 같아요, 역시 교장 선생님 다우세요."

그는 역시 살아있는 페스탈로치였다, 지금도 내 생활 중에 순간순간 영향력을 발휘하는 그의 뜨거운 마음이 지금도 울림으로 다가온다. 내가 운현고등학교에서 그를 만났다는 것은 내 교직 인생에 있어 큰 기쁨이요 자랑이다.

에필로그

학교 속에서 익힌 경험들, 사람들 모습 결국은 나를 바꾸게 만든다. 우리는 학교에 대한 애틋한 상념을 갖고 있다. 대부분 좋은 일기장처럼 자기 내면을 비추고 있다. 학교가 최근 대두되는 학교폭력이나 몇 년 전 세상의 화두였던 미투로 휘말려 들기도 했지만, 학교는 전통적으로 마을의 중심이요, 이야기 터요, 행복과 희망의 보금자리였다. 그동안 학교에서 일어났던 즐거운 일과 괴로웠던 일, 제도권에 묶여 제대로 할 수 없던 일, 사람 간의 갈등 관계, 성과를 이루었던 존경받을 만한 분을 만난일 이 모두가 내가 학교에 있었기에 가능했다. 다양한 사례를 통해 학교의 민낯을 내보이고 싶었다. 학교는 특히나 다양한 직종의 사람들로 인해 이해관계가 첨예한 조직이다. 조금만 내 권위를 내세우면 조화롭게 이뤄가기 어려운 조직이다. 그런데도 학교가 유지되는 것은 집단지성과 토의문화의 정착에 있다. 모든 의사 결정은 존중되어야 한다.

이 책은 실용서는 아니다. 세상을 살아가면서 누구나 겪을 법한 이야기, 주변에서 본 적 있는 듯한 이웃의 일상들이 이야기로 펼쳐진다. 그들에게서 잔잔한 감동과 삶의 여운을 느낄 수 있으면 그것으로 충분하다. 이제 정년을 6개월 앞둔 시점에서 내 인생을 되돌아보고 그 험난하고 가슴 뛰었던 생을 되돌아보는 것은 내게 큰 의미가 있다. 인생 100세 시대에 난 글로써 새로운 인생을 시작한다. 이 사회에 태어난 이상 내가 학교생활을 끝마치는 종점에 다다른 만큼 가감없이 내가 겪는 학교생활, 직장생활의 어려움들을 사례에 따라 다양한 형태로 제시하려 노력했다. 어느 책쓰기 강좌를 갔다가 학교관련 에세이를 쓰고 싶다 했더니 일언지하에 "안돼요, 주제로 적합지 않아요." 한다. 내가 가장 잘 알고 제일 좋아하는 현장인데 그 글 말고 다른 글을 쓰라니 그리고 그 글은 돈이 안되 성공할 수 없다니 속상했다. 돈을 바라고 글을 쓰는 게 아닌데 말이다, 우리 삶의 진솔한 부분, 학교생활을 가감없이 공유하고 싶었는데 말이다. 그럼에도 불구하고 내가 경험한 학교 이야기를 꼭 쓰고 싶었다.

우리 인생이 그렇듯 좋은 사례도 있고 어렵고 힘든 사례들도 있다. 단지 읽고 이를 자신의 발전을 위한 방편으로 삼아준다면 더 바랄 것이 없다. 오늘도 새로 사회생활을 시작하는 새내기, 또한 직장생활 중인 분들, 특히 학교에 근무하는 우리 교행직 후배들이 이 글에 공감하고 새로운 발전을 위한 계기가 되면 좋겠다. 이 책의 베이스는 내 블로그인 [삶을 향한 외침 되돌아본 인생 독후감 즐기기]이다. (주소: https://m.blog.naver.com/jpj092) 블로그를 통한 생동감 역전의 삶이 펼쳐지기를 늘 기원한다. 사방이 온통 크리스마스 축제 속으로 접어들기 직전인 따스한 12월에.

– 정필재 (필명:행복만땅) –

학교의 희망
학교의 물음

나는 공립학교 행정실장입니다